EDAF
MADRID

Mª DEL CARMEN DE LUCAS VALLEJO

DICCIONARIO DE DUDAS

AUTOAPRENDIZAJE

© 1994. Mª DEL CARMEN DE LUCAS VALLEJO
© 1994. Editorial EDAF, S. A. Jorge Juan, 30. Madrid

Depósito legal: M. 29.121-1997
ISBN: 84-9640-789-0

PRINTED IN SPAIN   IMPRESO EN ESPAÑA

IMPRIME: IBERICA GRAFIC, S. L. - FUENLABRADA (MADRID)

Índice

Presentación

I NDUDABLEMENTE, *el progresivo grado de cultura que alcanza una sociedad es paralelo al interés que en ésta despierta el correcto funcionamiento del más habitual instrumento de comunicación: el lenguaje.*

El objetivo de este libro es servir de ayuda a la hora de resolver algunas dudas o problemas que plantea el español a sus hablantes y a todas aquellas personas que desean profundizar en sus conocimientos de la lengua española, en especial a los alumnos de E.G.B. y B.U.P.

Las observaciones que hacemos sobre el correcto uso de la lengua se refieren, preferentemente, al español escrito y hablado en España, aunque muchas de estas puntualizaciones pueden servir a los hablantes de Hispanoamérica. Para los criterios de correcto o incorrecto hemos seguido las normas de la Real Academia Española.

El libro presenta la estructura de un diccionario, cada palabra o tema susceptible de plantear problemas es una entrada, todas ellas se encuentran ordenadas alfabéticamente; hemos intentado que las explicaciones sean lo más sencillas posible para que el libro sea útil a todos aquellos que quieran acercarse a él, pero, por si hubiera alguna duda, hemos incluido un glosario de términos lingüísticos, en donde las personas poco familiarizadas con la terminología de esta disciplina puedan aclarar el significado de aquellos términos que no hemos podido ni querido evitar.

Hemos intentado no crear confusión en los lectores para hacer de este libro una guía de consulta útil para todos y, tal vez, hemos caído en el error contrario, ser demasiado rígidos; la lengua es dinámica, evoluciona, cambia; decimos «correcto» cuando decimos lo que se debe decir, e «incorrecto» cuando decimos lo que no se debe decir; pero no debemos olvidar que son los hablantes, y el uso que ellos hacen de la lengua, los que van modificando el lenguaje, y esa modificación, al ser más tarde aceptada o no por la Academia, se convertirá en norma o será proscrita.

Todos los términos lingüísticos que hay en el diccionario, y que pueden encontrarse en el glosario, aparecen en negritas; hemos incluido ejemplos, separados por una barra (diagonal), del uso correcto y del incorrecto, estos últimos siempre aparecen precedidos por un asterisco.

Al final del libro hemos colocado dos apéndices, uno con las normas de acentuación ortográfica y otro con los verbos irregulares, por considerar que, de no hacerlo así, se agrandaría enormemente el diccionario, con perjuicio para la facilidad de su manejo.

Finalmente, desearíamos que este libro cumpliera todos los objetivos que nos hemos marcado, ser un libro útil, práctico y sencillo para todos aquellos que quieran acercarse a nuestra lengua.

Mª DEL CARMEN DE LUCAS VALLEJO

Glosario de términos lingüísticos

ACENTUACIÓN

La mayoría de las palabras en español, excepto las palabras átonas (**artículos,** algunos **pronombres personales,** la mayoría de las **preposiciones** y otras partículas gramaticales), tienen una sílaba cuya pronunciación es más intensa que las demás.

De acuerdo con la sílaba sobre la que recaiga el acento, esta palabra puede ser:

1. **Aguda:** El acento recae sobre la última sílaba: *Café. Papá. Amor. Callar.*
2. **Grave o llana:** El acento recae sobre la penúltima sílaba: *Fácil. Cárcel. Falta. Mesa.*
3. **Esdrújula:** El acento recae sobre la antepenúltima sílaba: *Círculo. Lámina. Víctima.*
4. **Sobresdrújula:** El acento recae sobre la sílaba anterior a la antepenúltima: *Préstamelo. Cómetelo.*

El acento de intensidad tiene en ocasiones representación gráfica, la **tilde,** cuyo uso está sujeto a reglas ortográficas.

ACEPCIÓN

Cada uno de los significados diferentes que aparecen en el diccionario con que puede emplearse una palabra. Ejemplo: *CAER. Venir un cuerpo de arriba abajo/Perder el equilibrio./Fig. Perder fortuna o poderío.*

ACTIVA

Voz activa. Véase VOZ.

ADJETIVO

Parte de la oración que modifica al **nombre**, añadiéndole o bien matices significativos: *Tráeme el libro rojo;* o bien determinándolo: Tráeme *ese* libro.

Al hecho de añadir matices significativos se le llama calificar, de ahí la denominación **adjetivo calificativo.**

Los adjetivos añadidos al **nombre** pueden ser a su vez:

1. **Especificativos:** Añaden notas semánticas al **nombre** y restringen su significado: *Quiero unos pantalones verdes.*

2. **Explicativos:** Añaden matices significativos que ya están contenidos en el **nombre**, y, por tanto, redundantes: *La blanca nieve.*

Los **adjetivos determinativos** coinciden en la forma con una serie de **pronombres,** y coinciden en sus funciones con el **artículo:** *Este libro/El libro. Mi libro.*

ADVERBIO

Parte de la oración que modifica al **verbo:** *Vino ayer;* al

adjetivo: *Está muy guapa;* o a otro **adverbio:** *Está muy bien;* e incluso a una **oración** entera: *Probablemente no vendrá;* precisando su significado.

ADYACENTES

Término que acompaña a otro modificándolo. Por ejemplo, el **artículo** es un término **adyacente** al **nombre.**

AFIJO

Los **afijos** son **morfemas** dependientes que siempre aparecen unidos a otros **lexemas** o **morfemas.**

Por su posición en la palabra, se clasifican en:

1. **Prefijos:** Los que van delante del **lexema:** *Vicepresidente.*
2. **Sufijos:** Los que van detrás del **lexema:** *Mesita.*
3. **Infijos:** Los que van entre el **lexema** y otro **sufijo:** *Mesillita*

Por su función, podemos distinguir entre:

1. **Afijos derivativos,** que modifican el significado del **lexema,** como los diminutivos: *Librito.*
2. **Afijos flexivos,** llamados también desinencias, que relacionan entre sí los **lexemas** de la **oración, como las** desinencias verbales de **número** y **persona:** *Ellos están bien;* y que además informan sobre la actitud del hablante con respecto al desarrollo de la acción verbal, como los **morfemas** verbales de **modo, tiempo** y **aspecto.**

AGUDA

Palabra aguda. Véase ACENTUACIÓN.

ALÓFONO

Es cada una de las realizaciones en las que se materializa un **fonema** dentro de la cadena hablada.

Por ejemplo, el fonema /b/ oclusivo, bilabial y sonoro, tiene dos alófonos; cuando va precedido de pausa o consonante nasal, se realiza como oclusivo, en cambio en los demás casos se realiza como fricativo.

ANGLICISMO

Préstamo lingüístico. Véase ELEMENTOS CONSTITUTIVOS DEL LÉXICO ESPAÑOL.

ANTECEDENTE

Pronombre relativo. Véase PRONOMBRE.

ARTÍCULO

Véase DETERMINANTE.

ASPECTO

En la **flexión verbal** hay dos formas de presentar cómo se desarrolla la acción del verbo:

1. Las formas verbales que indican acción no terminada, acción en desarrollo sin atender a su principio ni final, tienen **aspecto imperfecto:** *Llegaba.*

2. Las formas cuya acción ya ha terminado tienen **aspecto perfecto:** *Fui.*

En español, todos los **tiempos compuestos** tienen un **aspecto perfecto**, mientras que los **tiempos simples**, excepto el **pretérito indefinido**, tienen un **aspecto imperfecto**.

AUXILIAR

Verbo auxiliar es el que se emplea unido a formas no personales de otros verbos para construir:

1. Los **tiempos verbales** compuestos: *He ido.*
2. La **voz pasiva**: *Fue perseguido.*
3. Las **perífrasis verbales:** *Suele ir. Debe venir.*

CALIFICATIVO

Adjetivo calificativo. Véase ADJETIVO.

CALCO

Copia que una lengua hace del significado de una palabra de otra lengua prescindiendo de la palabra misma. Ejemplo: *cosmovisión* es calco del término alemán *weltanschauung*.

CARDINAL

Numeral cardinal. Véase DETERMINANTE y PRONOMBRE.

CATALANISMO

Préstamo lingüístico. Véase ELEMENTOS CONSTITUTIVOS DEL LÉXICO ESPAÑOL.

CIRCUNSTANCIAL

Complemento circunstancial. Véase COMPLEMENTO.

COMPARATIVO

Grado comparativo. Véase GRADO.

COMPLEMENTO

Palabra o grupo de palabras que completan, modifican, explican o sitúan el significado de algún elemento de la **oración: verbo, sujeto,** e incluso otro **complemento.**

1. **Complementos del verbo:**

— **Complemento directo: Completa** el significado de **verbos transitivos,** representando la cosa o la persona que recibe directamente la acción verbal o que es el resultado de esa acción verbal: *Trae el libro. Hice una casa.*
— **Complemento indirecto:** Acompaña tanto al **verbo transitivo** como al **intransitivo,** representando a la persona o cosa que se beneficia o perjudica de la acción verbal o a la que se destina el resultado y los efectos de ésta: *Trae el libro para mi padre.*
— **Complemento circunstancial:** Explica o modifica el significado de la acción verbal, o la sitúa, señala su motivo, expresando circunstancias muy diversas: de **tiempo, modo, lugar, compañía, finalidad, instrumento, materia, causa:** *Fuimos al campo. Trabaja por dinero.*
— **Complemento preposicional:** Complemento del **verbo,** que presenta las siguientes características: Es un **grupo preposicional** formado por una **preposición** y un **grupo nominal,** como los **complementos circunstanciales.**

Delimita la amplitud del significado del **núcleo verbal**, completándolo; este rasgo lo comparte con el **complemento directo**, con el que, sin embargo, es incompatible generalmente en una misma oración. Ejemplo: *Se despidió de mí. El libro consta de tres partes. Confió en la justicia.*

2. **Complementos del verbo y de un sustantivo al mismo tiempo:**

— **Complemento predicativo**: **Sustantivo** o **adjetivo** que expresa, a través del **verbo**, una cualidad atribuida:

- Al **sujeto**: **Complemento predicativo del sujeto:** *Los niños llegaron muy cansados.*

- Al **complemento directo**: **Complemento predicativo del complemento directo**: *Encontré muy cansados a los niños.*

3. **Complemento del nombre**: Sirve para delimitar la extensión del **nombre,** modificando o determinando su significado: *Tráeme los zapatos de piel.*

4. **Complemento del adjetivo**: Sirve para delimitar la extensión del **adjetivo**, modificando o determinando su significado: *Está loco de remate.*

CONCORDANCIA

Fenómeno morfosintáctico, según el cual algunas palabras se relacionan entre sí por medio de **morfemas**.

Por ejemplo: El **núcleo** del **grupo nominal** concuerda en sus **morfemas** de **género** y **número** con sus **adyacentes:** *Aquellos niños vinieron tarde.*

CONDICIONAL

Véase TIEMPO VERBAL.

CONJUGACIÓN

Cada uno de los modelos que puede seguir un **verbo** en su **flexión**. Existen tres modelos posibles, tres **conjugaciones**:

La 1ª **conjugación** comprende los verbos cuyo infinitivo termina en -ar: *Amar. Cantar.*

La 2ª **conjugación** comprende los verbos cuyo infinitivo termina en -er: *Temer. Comer.*

La 3ª **conjugación** comprende los verbos cuyo infinitivo termina en -ir: *Partir. Vivir.*

CONJUNCIÓN

Parte de la oración que sirve para unir palabras o grupos de palabras de un mismo nivel sintáctico: dos **sujetos,** dos **verbos,** dos **complementos,** dos **oraciones** sintácticamente equivalentes, etc. Su función es principalmente coordinante, de ahí su nombre, **conjunciones coordinantes;** también se denominan conjunciones algunas partículas cuya función es subordinar una proposición a otra dentro de una oración compuesta, **conjunciones subordinantes.**

Fundamentalmente, las conjunciones unen:

1. Elementos que desempeñan la misma función dentro de una oración: *Arriba y abajo.*

2. Proposiciones dentro de una oración compuesta, ya **sean coordinadas:** *Iré y comeré con vosotros;* o **subordinadas:** *Iré porque quiero comer con vosotros.*

CONTRACCIÓN

Artículo contracto. Véase DETERMINANTE.

COORDINACIÓN

Relación entre dos o más **oraciones** unidas por **conjunciones coordinantes** que enlaza **oraciones** del mismo nivel que podrían enunciarse independientemente.

Oraciones coordinadas:

1. **Oraciones coordinadas copulativas.** Dos o más **oraciones,** o elementos homogéneos unidos mediante las **conjunciones**: *y, e, ni,* sin añadir ningún significado al enunciado. Ejemplos: *Estudio y̱ trabajo. Vendra e̱ iremos al cine. No sabe ṉi quiere aprender.*

2. **Oraciones coordinadas disyuntivas:** Expresan una alternativa entre juicios contradictorios, de los cuales uno excluye a los otros; se emplean las **conjunciones**: *o, u, o bien.* Ejemplos: *¿Vienes o̱ te quedas? Te acuerdes u̱ olvides da igual. Vamos al cine o̱ bien vamos al teatro.*

3. **Oraciones coordinadas distributivas:** Expresan una alternativa entre **oraciones** en las que los acontecimientos se excluyen temporal, espacial o lógicamente, pero se reúnen en el resultado. Van introducidas por las **conjunciones**: *ya...ya, ora...ora...* y por cualquier *locución* correlativa. Ejemplos: *Ora íbamos, ora veníamos. Unas veces ríe, otras llora.*

4. **Oraciones coordinadas adversativas:** Expresan la contraposición de dos juicios. Van introducidas por las **conjunciones**: *más, pero, sino* y *aunque* y por las **locuciones** conjuntivas: *sin embargo, antes bien,* etc. Según el grado de contraposición, pueden ser:

— **Parciales:** La segunda **oración** expresa una restricción en el juicio de la primera: *Le gusta el café, pero no por la tarde. No le gusta el café, pero lo toma.*

— **Totales** o **absolutas**: Ambas oraciones se excluyen mutuamente: *No quiero entrar, sino salir.*

5. **Oraciones coordinadas explicativas:** Una **oración** aclara lo expuesto en la anterior. La operación es de expansión, de igualdad aproximada. Las **locuciones** que se emplean son: *o sea, es decir, esto es.*

COPULATIVA

Véase ORACIONES COORDINADAS COPULATIVAS.

COPULATIVO

Verbo copulativo. Son considerados **verbos copulativos:** *ser* y *estar.*

También se clasifican como tales otros **verbos** que aparentemente funcionan como **copulativos:** *parecer, convertirse en, llegar a ser, ponerse, quedarse, volverse, hacerse,* etc., pero ellos conservan su propia significación, que añade un contenido semántico que no poseen *ser* y *estar.* Ejemplos: *Parece muy inteligente. Llegaré a ser ministro. Se volvió tonto. Se puso rojo.*

DEMOSTRATIVO

Véase DETERMINANTE y PRONOMBRE.

DESINENCIA

Véase AFIJO.

DETERMINADO

Artículo determinado. Véase DETERMINANTE.

DETERMINANTE

Parte de la oración que limita la extensión significativa del **sustantivo** al que acompaña.

En español, los **determinantes** son:

1. **El artículo.** Puede ser:

— **Determinado:** Cuando se refiere concretamente a una persona o cosa conocida por el que habla y el que escucha: *Encontré el libro que buscabas;* o bien a una persona o cosa en forma genérica: *El hombre es un ser racional.*

— **Indeterminado:** Cuando se refiere a una persona o cosa no conocida por el oyente: *Encontré un libro;* o bien que sea indiferente o desconocida para el hablante: *Me dejas un libro. Vi a un hombre cruzar la calle.*

2. **Los demostrativos:** Sitúan una persona o cosa en un lugar o tiempo determinados: *Esta casa es muy bonita. Aquel año estuvimos en París.*

3. **Los posesivos:** Denotan la propiedad o la pertenencia de personas o cosas respecto a las personas gramaticales que actúan como poseedores: *Mi casa es muy grande. Tu vestido es muy bonito.*

4. **Los indefinidos:** Se caracterizan por su significación vaga e imprecisa. Indican la cantidad con que se presenta el **sustantivo,** pero sin precisarla con exactitud: *Algunos niños llegaron tarde. Cualquier color te sienta bien.*

5. **Los numerales:** Indican la cantidad precisándola exactamente. Pueden ser:

— **Cardinales:** Expresan el número de elementos: *Tengo tres libros.*

— **Ordinales:** Expresan el orden de colocación: *Dame el segundo libro.*

6. **Los interrogativos**: Acompañan al **sustantivo** en las **oraciones** en las que se pregunta algo de modo directo: *¿Qué clase tenemos hoy? ¿Qué vestido me pongo?*

7. **Los exclamativos**: Desempeñan el mismo papel que las **oraciones exclamativas**: *¡Qué vida se pega!*

De algunos **determinantes** existen formas correspondientes **pronominales**. Véase PRONOMBRE.

DISTRIBUTIVA

Véase COORDINACIÓN.

DISYUNTIVA

Véase COORDINACIÓN.

ELEMENTOS CONSTITUTIVOS DEL LÉXICO ESPAÑOL

El léxico actual español está formado por términos procedentes de distintas fuentes.

De acuerdo con su origen, las palabras pueden ser:

1. **Popularismos, o voces patrimoniales.** Palabras generalmente procedentes del latín, que desde la formación del castellano se han mantenido en su vocabulario y, por tanto, han sufrido una evolución desde el latín al español: *OCULUM > ojo.*

2. **Cultismos**. Términos que han entrado en el castellano más tarde y, por tanto, no han sufrido la evolución completa: *CAPITULUM > capítulo*.

3. **Préstamos lingüísticos**. Términos tomados a lo largo de la historia de otras lenguas con las que el español ha tenido contacto.

Según la lengua de procedencia los préstamos lingüísticos se llaman:

Arabismos: *alcalde, aduana, zanahoria*.
Germanismos: *guerra, falda, rico*.
Galicismos: *doncella, salvaje, jamón*.
Anglicismos: *club, túnel*.
Indigenismos: *patata, chocolate, tabaco*.
Italianismos: *piloto, soneto, capricho*.
Lusismos: *mermelada, caramelo, bandeja*.
Galleguismos: *chubasco, mejillón*.
Vasquismos: *pizarra, izquierda*.
Catalanismos: *paella, clavel, capicúa*.

ENCLÍTICO

Término no acentuado, generalmente un **pronombre** átono, que se une a una palabra para formar con ella un solo bloque portador de un solo acento. Ejemplos: *Mátame. Dímelo*.

ESPECIFICATIVO

Adjetivo especificativo. Véase ADJETIVO.

EXCLAMATIVO

Véase DETERMINANTE.

EXPLICATIVA

Véase COORDINACIÓN.

EXPLICATIVO

Adjetivo explicativo. Véase ADJETIVO.

EXTRANJERISMO

Préstamo lingüístico tomado recientemente de una lengua extranjera. Véase ELEMENTOS CONSTITUTIVOS DEL LÉXICO ESPAÑOL.

FEMENINO

Véase GÉNERO.

FLEXIÓN

Variación que experimenta una palabra en su constitución morfológica; como consecuencia de esa variación, la palabra puede desempeñar distintas funciones gramaticales o expresar diferentes matices significativos.

En español, el concepto se aplica a tres **partes de la oración:** el **verbo,** el **pronombre** y el **nombre.**
1.   **Flexión verbal.** Variaciones que sufre el **verbo** para expresar **modo, tiempo, aspecto, número** y **persona:** *cantar/ cantábamos.*
2.   **Flexión pronominal.** A través de ella los **pronombres** expresan **género, número, persona** y **función:** *tú/vosotras.*

3.   **Flexión nominal.** Mediante la que el nombre puede expresar **género** y **número**: *niño/niñas*.

La **flexión nominal** determina las variaciones correspondientes sufridas por los **adyacentes** del **nombre,** el **determinante** y el **adjetivo,** que están en **concordancia** de **género** y **número** con el **nombre** al que acompañan.

FONEMA

Unidad lingüística que no tiene significado por sí misma, pero que permite distinguir los significados de otras unidades superiores.

Por ejemplo, el fonema /b/ no tiene significado propio, pero permite que diferenciemos la palabra *bobo* de *soso, coco,* etcétera.

FORMAS NO PERSONALES DEL VERBO

En la **flexión verbal,** aquellas formas que no hacen referencia a ninguna de las tres personas gramaticales, en realidad tampoco hacen referencia al **modo, tiempo** o **número.** Se caracterizan por tener una doble función gramatical, lo que las diferencia de las demás formas verbales.

Estas formas son:

1.   **El infinitivo:** *Comer;* que puede comportarse como un **nombre**: *Comer engorda.*

2.   **El gerundio:** *Comiendo;* que puede comportarse como un **adverbio**: *Le vi comiendo.*

3.   **El participio:** *Comido;* que puede comportarse como un adjetivo: *Esto es pan comido.*

FUTURO

Véase TIEMPO VERBAL.

GALICISMO

Préstamo lingüístico. Véase ELEMENTOS CONSTITUTI-VOS DEL LÉXICO ESPAÑOL.

GALLEGUISMO

Préstamo lingüístico. Véase ELEMENTOS CONSTITUTI-VOS DEL LÉXICO ESPAÑOL.

GÉNERO GRAMATICAL

Morfema que aparece en la **flexión** de **nombre** y **pronombre** y, como efecto de la **concordancia**, en los elementos **adyacentes** al nombre: **determinantes** y **adjetivos**.

El **morfema** de **género** asigna la palabra en la que aparece a uno de estos tres grupos:

1. **Género masculino.**
2. **Género femenino.**
3. **Género neutro**: Sólo se manifiesta en los **pronombres** y en el llamado **artículo neutro**.

GERMANISMO

Préstamo lingüístico. Véase ELEMENTOS CONSTITUTI-VOS DEL LÉXICO ESPAÑOL.

GERUNDIO

Véase FORMAS NO PERSONALES DEL VERBO.

GRADO

La variación de **grado** modifica la cantidad de lo expresado por los **adjetivos**. Por ejemplo: *pésimo* aumenta la cantidad de lo expresado por *malo*.

Suelen distinguirse tres **grados** en el **adjetivo:**

1. **Positivo**: Cuando el **adjetivo** carece de todo matiz de intensidad: *grande, pequeño*.
2. **Comparativo**: Opone una cualidad que posee una persona o cosa con la que posee otra: *Juan es más alto que Pedro*; o con otra cualidad distinta de éste: *Juan es más listo que estudioso*.

El **comparativo** puede ser de **igualdad**: *Juan es tan guapo como listo*; de **superioridad**: *Juan es más guapo que listo*; de **inferioridad**: *Juan es menos guapo que listo*.

3. **Superlativo**: Expresa la posesión de una cualidad en su **grado** mas intenso.

El **superlativo** puede ser **relativo** cuando se expresa con referencia a un grupo que posee esa misma cualidad: *Juan es el más listo de la clase*; o **absoluto** cuando se expresa de forma absoluta sin establecer ningún tipo de comparación: *Juan es el más listo. Juan es listísimo*.

GRAVE

Grave = llana. Palabra llana. Véase ACENTUACIÓN.

GRUPO

Serie de palabras ordenadas en torno a una de ellas que funciona como **núcleo** y es la que le da nombre específico: **Grupo nominal, grupo verbal, grupo adjetivo, grupo adverbial.**

Cuando el **grupo nominal** va precedido de **preposición,** se denomina **grupo preposicional.**

El **grupo** en su totalidad desempeña la misma función que la palabra que hace de **núcleo**: Si un **nombre, núcleo** de un **grupo,** funciona como **sujeto,** todo el **grupo** funcionará como **sujeto.** Ejemplo: *El niño es guapo. Aquel niño vestido de azul es guapo.*

GRUPO NOMINAL

Es el **grupo** cuyo **núcleo** es un **nombre.** Las palabras que pueden acompañar al **nombre** reciben la denominación de **adyacentes: determinantes, adjetivos** y **complementos del nombre.**

Pueden funcionar como **núcleo** del **grupo nominal** el **infinitivo,** el **pronombre** y todo elemento **sustantivo.** Ejemplo: *El libro rojo está en la mesa. El fumar es perjudicial. Esto está bien. Lo que ha sobrado está ahí.*

Véase SUSTANTIVACIÓN.

GRUPO PREPOSICIONAL

Grupo nominal precedido de **preposición.** Ejemplo: *Tráeme un café con leche.*

GRUPO VERBAL

Es el **grupo** cuyo **núcleo** es un **verbo.** Se considera **núcleo**

verbal tanto las formas simples y compuestas de la **conjugación** como las **perífrasis verbales.**

El **núcleo verbal** puede verse modificado o completado por diversos **complementos** que forman parte del **grupo verbal.**
Véase COMPLEMENTOS.

IMPERATIVO

Véase MODO VERBAL.

IMPERFECTO

1. Véase ASPECTO VERBAL.
2. Véase TIEMPO VERBAL.

IMPERSONAL

Aplícase este término a las **oraciones** y a los **verbos** que siempre se construyen sin **sujeto.**

Dentro de esta denominación genérica, hay que distinguir varias modalidades de **impersonalidad:**

1. La que corresponde a **oraciones** y **verbos** que expresan fenómenos meteorológicos: *Nevó toda la tarde.*
2. La impersonalidad debida a **verbos** u **oraciones** cuyo **sujeto** existe, pero no está definido bien porque es desconocido: *Dicen que lloverá mañana;* bien porque al hablante no le interesa precisarlo: *Me han regalado un libro.*
3. La expresada mediante forma **pronominal:** *Se come bien aquí.*

INDEFINIDO

Véase DETERMINANTE y PRONOMBRE.

INDETERMINADO

Artículo indeterminado. Véase DETERMINANTE.

INDICATIVO

Véase MODO VERBAL.

INFINITIVO

Véase FORMAS NO PERSONALES DEL VERBO.

INTERJECCIÓN

Palabra o grupo de palabras que, a pesar de no poseer los elementos constitutivos necesarios para formar una **oración,** cumple el oficio de ésta: *¡Vaya! ¡Por Dios!*

INTERROGATIVA

Oración interrogativa. Véase MODALIDAD ORACIO-NAL.

INTERROGATIVO

Véase DETERMINANTE y PRONOMBRE.

INTERVOCÁLICO

Una consonante aparece en posición **intervocálica** cuando va situada, dentro de la cadena hablada, entre dos vocales.

ITALIANISMO

Préstamo lingüístico. Véase ELEMENTOS CONSTITUTI-VOS DEL LÉXICO ESPAÑOL.

LEXEMA

Es el elemento central de la palabra y contiene el **significa-do léxico de la misma: *Bien*. *Niño.***

LOCUCIÓN

Conjunto de dos o más palabras que aparecen siempre unidas para constituir un solo elemento con significado propio e indivisible.

Puede tener el valor de una **conjunción, locuciones conjuntivas:** *con que, a fin de que;* de una **preposición, locuciones prepositivas:** *delante de, junto a;* o de un **adverbio, locuciones adverbiales:** *sin embargo.*

MODALIDAD ORACIONAL

La **oración** refleja la actitud que mantiene el hablante ante el hecho del que nos informa; así, la **modalidad** expresa la mencionada actitud del hablante.

Clasificamos las **oraciones** según la **modalidad** en:

1. **Enunciativas**: Cuando lo expresado en ellas se da como cierto y seguro. Pueden ser:

— **Afirmativas**: *Quiero agua.*
— **Negativas**: *No quiero agua.*

2. **Interrogativas:** Cuando el hablante quiere que se le dé una respuesta a lo que ha planteado.

— **Directas**: *¿Quieres agua?*
— **Indirectas**: *Pregunta si quiere agua.*

3. **Imperativa** o **exhortativa**: Cuando se realiza una exhortación o un mandato: *Tráeme ese libro.*
4. **Exclamativas**: Cuando se manifiesta sorpresa, admiración, disgusto, alegría, tristeza: *¡Vaya!, ¡Cómo eres!*
5. **Desiderativa** u **optativa**: Cuando se formula un deseo: *¡Ojalá venga con nosotros!*
6. **Dubitativa**: Cuando lo expresado queda afectado por la inseguridad o la duda: *Tal vez vaya.*

MODIFICADOR

Se llaman **modificadores** del **nombre,** dentro del **grupo nominal,** a los elementos adyacentes a ese nombre, excluidos los **determinantes.**

Así, **modificadores** pueden ser:

1. Un **adjetivo**.
2. Un **nombre** en aposición.
3. Un **grupo preposicional**.
4. Una **proposición adjetiva**.

MODO VERBAL

En la **flexión verbal,** los **modos** expresan el punto de vista del hablante con respecto a la acción del **verbo.**

1. Cuando el hablante piensa en la acción del **verbo** como un fenómeno real, la expresa en **modo indicativo.**
2. Cuando piensa en esa acción como un fenómeno irreal, posible, afectado por la duda o la inseguridad, el temor o el deseo, la expresa en modo **subjuntivo.**
3. Cuando el hablante quiere manifestar un ruego, un mandato, una orden, el **modo verbal** para expresarlo será el **imperativo.**

MONEMA

Es la unidad lingüística menor con significado propio.
Los **monemas** se dividen en **lexemas** y **morfemas.**
Véase LEXEMA y MORFEMA.

MORFEMA

Los **morfemas** son elementos modificadores del significado de los **lexemas,** delimitan su extensión significativa y los relacionan entre sí dentro del discurso.

Los **morfemas,** de acuerdo con su disposición con respecto al **lexema,** pueden ser:

1. **Morfemas independientes:** No van unidos al **lexema,** y son: los **nexos** (**preposiciones** y **conjunciones**) y otros elementos con función deíctica (el **artículo, el grado del adjetivo,** etc.).
2. **Morfemas dependientes:** Forzosamente aparecen unidos al **lexema** o a otros **morfemas: morfema de singular, de plural, masculino, femenino, aumentativo, diminutivo,** etcétera.

NEOLOGISMO

Palabra recién incorporada a una lengua, a través de varios caminos:

1. **Nueva creación.** Por medio de los mecanismos de formación de palabras de una lengua: *pegatina*.
2. **Préstamo de otra lengua:** *líder*.
3. **Aparición de una nueva acepción de una palabra ya existente:** *carroza, enrollarse*.

NEUTRO

Véase GÉNERO.

NEXO

Se llama **nexo** a cualquier unidad lingüística que sirve para unir otras dos.

En español cumplen esta función, fundamentalmente, las **preposiciones** y las **conjunciones**.
Ambas unidades son **morfemas independientes**.

NOMBRE

Parte de la oración, núcleo del **grupo nominal**. Es el elemento que lleva el significado central de ese **grupo** y del cual dependen el resto de los elementos que lo constituyen, sus adyacentes, con los cuales establece **concordancia**.

NORMA

Conjunto de reglas lingüísticas que establecen lo que se considera como los usos correctos, o los que tienen mas prestigio, en una época determinada. Esos usos lingüísticos vienen dictados en gran parte por la costumbre y, en general, por un sector de la sociedad capaz de imponerlos a la sociedad entera.

NÚCLEO

Elemento básico de un **grupo**:

El **nombre** es el **núcleo** del **grupo nominal.**
El **verbo** es el **núcleo** del **grupo verbal.**

NUMERAL

Véase DETERMINANTE.

NÚMERO

Morfema que aparece en la **flexión** del nombre, del **pronombre** y del **verbo,** y como resultado de la **concordancia,** en elementos **adyacentes** al **nombre,** el **determinante** y el **adjetivo.**

En español, la aparición de este **morfema** señala si la palabra se refiere a un solo objeto: **Número singular**: *el libro;* o a más de un objeto: **Número plural**: *los libros.*

ORACIÓN

Unidad lingüística que se caracteriza por:

1. Estar dotada de sentido completo.
2. Poseer una curva de entonación propia, situada entre dos pausas fuertes.
3. Estar constituida por un **sujeto** y un **predicado**.
4. Ser independiente, como consecuencia de todo lo anterior, ya que no necesita, ni fónica, ni morfosintáctica, ni semánticamente, formar parte de una estructura **lingüística** superior.

Cuando la **oración** consta de un solo **predicado**, se denomina **simple**; si consta de dos o más **predicados, compleja.** En el caso de la segunda, puede suceder que dichos **predicados** se relacionen por **coordinación,** es decir, se mantengan autónomos e independientes, o bien que se relacionen con dependencia de un **predicado** respecto a la que llamaremos oración **principal,** este procedimiento se llama **subordinación.**

ORDINAL

Numeral ordinal. Véase DETERMINANTE.

PALABRA

Unidad lingüística autónoma, constituida por uno o más **monemas**, y que en la escritura aparece aislada.

PARTES DE LA ORACIÓN

Clases de palabras de una lengua definidas fundamentalmente mediante puntos de vista funcionales, teniendo en cuenta la función que desempeñan, y semánticos, de acuerdo con su significado.

En español, las **partes de la oración** aceptadas generalmente son las siguientes:

Nombre o **sustantivo, determinante, pronombre, adjetivo (calificativo), verbo, adverbio, preposición y conjunción.**

PARTICIPIO

Véase FORMAS NO PERSONALES DEL VERBO.

PASIVA

Véase VOZ.

PATRIMONIAL

Palabra patrimonial. Véase ELEMENTOS CONSTITUTIVOS DEL LÉXICO ESPAÑOL.

PERFECTO

1. Véase ASPECTO VERBAL.
2. Véase TIEMPO VERBAL.

PERÍFRASIS VERBALES

Combinación de dos formas verbales con la que el hablante puede expresar contenidos más complejos que los que permite la flexión de los **verbos** aislados.

En español, las **perífrasis** se forman mediante la unión de un **verbo** en cualquiera de sus formas personales, al que se llama **verbo auxiliar,** con otro en **infinitivo, participio** o **gerundio.**

PERSONAL

Véase PRONOMBRE.

PLURAL

Véase NÚMERO.

POSESIVO

Véase DETERMINANTE y PRONOMBRE.

POTENCIAL

Potencial o **condicional**. Véase TIEMPO VERBAL.

PREDICADO

Elemento constituyente esencial, junto con el **sujeto**, de la **oración**. La función de **predicado** puede desempeñarla un **grupo verbal** cuyo **núcleo** sea:

1. Un **verbo copulativo**: *El libro es rojo.*
2. Un **verbo predicativo**:

— **Transitivo:** *El niño comió pasteles.*
— **Intransitivo:** *El niño salió de su casa.*

PREDICATIVO

1. **Verbo predicativo**. Véase PREDICADO.
2. **Complemento predicativo**. Véase COMPLEMENTO.

PREPOSICIÓN

Parte de la oración cuyo oficio es unir; es, por tanto, un **nexo**, subordinando a un elemento de la **oración** un **complemento**.

Locución prepositiva. Véase LOCUCIÓN.

PRESENTE

Véase TIEMPO VERBAL.

PRÉSTAMO LINGÜÍSTICO

Véase ELEMENTOS CONSTITUTIVOS DEL LÉXICO ESPAÑOL.

PRETÉRITO

Véase TIEMPO VERBAL.

PRETÉRITO IMPERFECTO

Véase TIEMPO VERBAL.

PRETÉRITO PERFECTO

Véase TIEMPO VERBAL.

PRETÉRITO PLUSCUAMPERFECTO

Véase TIEMPO VERBAL.

PRONOMBRE

Parte de la oración que se caracteriza fundamentalmente por no tener un referente fijado previamente, sino dependiente de las circunstancias. Por ejemplo: *Yo lo traje*, el **pronombre** *lo* se refiere a la cosa a la que el hablante se refiera en ese momento.

Dentro de los **pronombres**, podemos diferenciar dos grandes grupos:

1. Los **pronombres** que tienen una forma cercana a la de ciertos **determinantes** o coincidente con ella, por lo que reciben los mismos nombres:

— **Pronombres demostrativos**: Indican situación: *Traéme eso y no aquello*.
— **Pronombres posesivos**: Señalan la posesión con respecto a las personas gramaticales: *Ese libro es mío*.
— **Pronombres indefinidos**: Expresan una cantidad, pero sin exactitud: *Algunos vinieron*.
— **Pronombres interrogativos**: Su oficio es realizar una pregunta: *¿Qué pasa? ¿Quién es?*

2. Los **pronombres** cuya forma es diferente a la de los **determinantes**. Entre ellos hay que señalar:

— **Pronombres personales:** Hacen referencia a las personas gramaticales: *Vosotros no quisisteis venir*.

Los **pronombres personales** pueden ser **tónicos,** acentuados: *yo, tú,* etc., y **átonos,** no acentuados: *lo, le,* etcétera.

— **Pronombres reflexivos: Pronombres** que, realizando la función de **complementos,** se refieren al **sujeto:** *Antonio se lava.*

— **Pronombres relativos:** Se refieren a un elemento que ya ha aparecido anteriormente en la cadena hablada y al que se denomina **antecedente:** *El niño que vimos ayer es mi primo.*

PRONOMINAL

1. Referente al **pronombre.** Véase PRONOMBRE.
2. **Verbo pronominal.** Aquel en cuya **flexión** interviene un **pronombre:** *arrepentirse, lavarse,* etcétera.

PROPOSICIÓN

La **proposición,** a diferencia de la **oración** simple, no tiene autonomía sintáctica y va dependiendo del **grupo** del **sujeto:** *Aquel que ves allí es mi vecino;* o del **predicado:** *Vete que ya te avisaré.*

Véase SUBORDINACIÓN.

REFLEJA

Pasiva refleja. Véase VOZ.

REFLEXIVO

1. **Pronombre reflexivo.** Véase PRONOMBRE.

2. **Verbo reflexivo = Verbo pronominal.** Véase PRONO-MINAL.

RELATIVO

1. **Pronombre relativo.** Véase PRONOMBRE.
2. **Proposición relativa.** Véase SUBORDINACIÓN.

SEMÁNTICA

La **semántica** estudia la significación y las distintas relaciones que se producen entre los significados.

SINGULAR

Véase NÚMERO.

SUBJUNTIVO

Véase MODO VERBAL.

SUBORDINACIÓN

Proposición subordinada. Véase PROPOSICIÓN.

Relación entre dos o más **proposiciones** que constituyen una **oración compleja,** consistente en que una, la denominada **subordinada,** depende gramatical y semánticamente de la otra, denominada **principal.**

La **subordinación** va introducida, por lo general, por elementos de relación **subordinantes: pronombres relativos** y **conjunciones.**

Distinguimos distintos tipos de **proposiciones subordinadas,** atendiendo a la función que desempeñan:

1. Las que cumplen las mismas funciones que un **grupo nominal** se llaman **sustantivas:**

- **De sujeto:** *Le gusta que le regalen libros.*
- **De complemento directo:** *No quiero que fumes.*
- **De complemento indirecto:** *Haré un regalo al que conteste más rápido.*
- **De complemento circunstancial:** *Haré un pastel con lo que me sobre.*
- **De complemento del nombre:** *El deseo de que no hagas el ridículo me lleva a aconsejarte.*
- **De complemento del adjetivo:** *Estoy harto de que siempre me mandes hacerlo a mí.*
- **De atributo:** *Esta casa es la que parece mayor.*

2. Las que cumplen las mismas funciones que un **grupo adjetivo** se llaman **adjetivas** o de **relativo,** y como los **adjetivos** se dividen en **especificativas** y **explicativas:**

- **Adjetivas especificativas:** *Los niños que sabían la lección fueron premiados.*
- **Adjetivas explicativas:** *Los niños, que sabían la lección, fueron premiados.*

3. Las que cumplen las mismas funciones que un **adverbio, adverbiales,** equivalen a expresión de las circunstancias, por eso se llaman también **circunstanciales:**

- **Temporales:** Expresan el tiempo: *Estábamos en casa cuando cayó la tormenta.*
- **De Lugar:** Expresan el sitio o lugar: *Estoy donde me ves.*
- **Modales:** Expresan el modo: *Lo hicimos como quisimos.*
- **Causales:** Expresan la causa, el motivo de lo que se dice en la principal: *Me caí porque no vi el escalón.*
- **Consecutivas:** Expresan la consecuencia que se deri-

va de la principal: *Tanto me habló que casi me volvió loca.*

— **Condicionales:** Expresan la condición (causa potencial) de la principal: *Si eres bueno, te daré un premio.*
— **Finales:** Expresan la finalidad (consecuencia potencial o deseada) de la principal: *Estudia para que no te suspendan.*
— **Concesivas:** Niegan la causa esperable de la acción principal: *Se quieren mucho, aunque discuten todo el tiempo.*

SUJETO

Función sintáctica del **grupo nominal** como constituyente inmediato, junto con el **predicado**, de la **oración.**

SUPERLATIVO

Véase GRADO.

SUSTANTIVA

Proposición sustantiva. Véase SUBORDINACIÓN.

SUSTANTIVACIÓN

Proceso mediante el cual una **parte de la oración** distinta al **nombre** pasa a desempeñar la función de éste, es decir, ser **núcleo** del **grupo nominal.**

SUSTANTIVO

Sustantivo = Nombre. Véase NOMBRE.

TEMPORAL

Proposición Temporal. Véase SUBORDINACIÓN.

TIEMPO VERBAL

En la **flexión verbal,** el hablante puede situar la acción en tres momentos del tiempo:

— En el **presente.**
— En el **pasado.**
— En el **futuro.**

A estas posibles situaciones les corresponden **tiempos verbales: presente, pretérito,** o **pasado** y **futuro.**

En español, los **tiempos verbales** posibles son:

1. En **modo indicativo** (Véase MODO VERBAL):

— **Presente.**
— **Pretérito imperfecto.**
— **Pretérito perfecto simple.**
— **Futuro.**
— **Condicional.**
— **Pretérito perfecto compuesto.**
— **Pretérito pluscuamperfecto.**
— **Pretérito anterior.**
— **Futuro perfecto.**
— **Condicional perfecto.**

2. En **modo subjuntivo** (Véase MODO VERBAL):

— **Presente.**
— **Pretérito imperfecto.**
— **Futuro.**
— **Pretérito perfecto.**

— **Pretérito pluscuamperfecto.**
— **Futuro perfecto.**

3. En **modo imperativo** (Véase MODO VERBAL):

— **Presente.**

TILDE

Tilde o **acento ortográfico.** Véase ACENTUACIÓN.

VASQUISMO

Préstamo lingüístico. Véase ELEMENTOS CONSTITUTI-
VOS DEL LÉXICO ESPAÑOL.

VERBO

Parte de la oración, núcleo del **grupo verbal.** Esta constituido
por el **lexema** verbal, portador de significado léxico, la **vocal
temática,** que asigna el verbo a una de las tres **conjugaciones,** y
una serie de **morfemas** que constituyen la **flexión verbal;** mediante esta **flexión,** el hablante expresa el **modo, tiempo, aspecto,
numero** y **persona.** Estos dos últimos **morfemas** dependen del
núcleo del **grupo nominal,** con el cual concuerda **el verbo.**

VOZ

En una **oración,** la relación que se establece entre el **sujeto**
y el proceso verbal puede ser de dos tipos:

— El **sujeto** es el autor del proceso. En este caso, el **verbo**
está en **voz activa.**

— El **sujeto** es el receptor del proceso. El **verbo**, en este caso, estará en **voz pasiva**.

La **voz pasiva** puede ser expresada de dos modos:

— **Pasiva perifrástica**: Se usa el **verbo auxiliar** *ser* y el **participio** verbal concordando en **género** y **número** con el **sujeto paciente**: *La obra fue representada por los alumnos.*

— **Pasiva refleja**: Se usa el **verbo** en **voz activa** precedido por la forma **pronominal** *se: La obra se representó por los alumnos.*

YUXTAPOSICIÓN

Oración yuxtapuesta.

Unión de dos o mas **oraciones** sin que haya un elemento relacionante, un **nexo**: *Escríbeme, te contestaré pronto.*

A veces, la relación existente entre las **oraciones** es similar a la que existe en la **coordinación** o **subordinación**: *Cállate, (porque) me tienes harta* (**relación causal**).

Diccionario

A

ABAJO, A BAJO

No deben confundirse *Abajo,* **adverbio:** *En el mercado de abajo hay limones,* con *a bajo,* **preposición** más **adjetivo:** *La fruta se vende a bajo precio.*

Abajo admite **preposiciones,** excepto *a;* es incorrecto decir: **De arriba a abajo,* se debe decir: *De arriba abajo.*

ABAJO, DEBAJO

Abajo se utiliza con **verbos** de movimiento, mientras que con **verbos** de situación puede utilizarse *debajo* o *abajo,* aunque a veces cambia en algo su significación. Ejemplos: *Voy abajo. Estoy abajo. Estoy debajo.*

Véase DEBAJO.

A BASE DE

A base de significa «tomando como base o fundamento»,

por tanto, no debe emplearse con otros significados. Es incorrecto decir: *Una ensalada a base de lechuga y tomate, se debe
decir: Una ensalada con lechuga y tomate.

Peor aún es su uso como intensificador en expresiones
como *a base de bien: *Lo pasé a base de bien, lo correcto es decir:
Lo pasé muy bien, estupendamente bien, etcétera.

ABASTO

La expresión no dar abasto significa «**no parar en una actividad**», son erróneas las expresiones: *No dar a basto y no darse abasto.

A BOCA JARRO

Se escribe separado: *Un tiro a bocajarro/Un tiro a boca jarro.

ABRIR

Verbo irregular.

FORMAS NO PERSONALES
Participio: abierto.

ABSOLUTAMENTE, EN ABSOLUTO

Su significado es tanto positivo como negativo, **aunque
este último** es el que va imponiéndose, así es correcto: Estoy de
acuerdo en absoluto.

En *absoluto* significa «de manera general y terminante», se prefiere cuando el verbo es afirmativo el uso de *absolutamente: Estoy absolutamente de acuerdo.*

ACÁ

Acá no admite la **preposición** *a;* por tanto, es incorrecto decir: **De un tiempo a acá/De un tiempo acá.*

A CAMPO TRAVIESA

Esta expresión significa «atravesando el campo»; se consideran erróneas: **A campo atraviesa,* **a campo a través,* **a campo través.*

Campo a través es el nombre del deporte conocido también por su denominación inglesa como *cross.*

ACENTO

El **acento** es la mayor intensidad con que se pronuncia una sílaba dentro de una palabra.

Algunas palabras escritas llevan **acento ortográfico** o **tilde** de acuerdo con unas reglas.

Véase TILDE y APÉNDICE DE LA ACENTUACIÓN ORTOGRÁFICA.

ACERA

La *acera* es «la orilla de las vías públicas que está destinada a los peatones»; no se debe confundir *acera* con *cera,* que es «la sustancia que segregan las abejas». **Súbete a la cera/Súbete a la acera.*

ACERBO, ACERVO

Acerbo significa «cruel», «desagradable». No debe confundirse con *acervo*, que significa «montón de cosas menudas, trigo, etc.», «haber que pertenece a una colectividad relacionada por el mismo interés económico». Ejemplos: *Acervo de conocimientos, acervo cultural.*

ACÉRRIMO

Es el **superlativo** de *acre*, significa «muy fuerte», «vigoroso» o «tenaz».
Como **superlativo** no puede utilizarse con *muy, más*, etc.
Es mi enemigo mas acérrimo.
Véase SUPERLATIVO.

ACERVO

Véase ACERBO, ACERVO.

ACNÉ

La Academia admite dos acentuaciones: *acné* y *acne*. La palabra es de **género** femenino, por tanto, será *la acné* y *el acne*; este último **artículo** es obligado por empezar la palabra con una *a* acentuada, como ocurre en: *el agua*. Es incorrecto extender el **artículo** *el* cuando se utiliza la palabra con acentuación aguda: **el acné/la acné.*

A + Complemento circunstancial

Es general en gastronomía, por influjo del francés, utilizar la **preposición** *a* cuando el **complemento** designa ingredientes: **pato a la naranja/pato con naranja.* Esta construcción se extiende a la cosmética; así, aparece: **Champú a la camomila/champú de camomila* o *con camomila.*

A + Complemento del nombre

El **complemento del nombre** lleva la **preposición** *de*; por tanto, son incorrectos: **avión a reacción/avión de reacción,* **cocina a gas/cocina de gas,* **olla a presión/olla de presión.*

A + Complemento directo

El **complemento** directo lleva la **preposición** *a* delante de:

— **Nombres** propios de personas y animales: *Llama a Juan. Llama a Sultán,* excepto cuando son usados como comunes.
— **Nombres** comunes que signifiquen personas: *Llama a los niños,* excepto cuando tienen un sentido indeterminado: *Busco niños para una película.*
— **Nombres** de cosas personificadas: *Temía a la muerte.*
— Los **pronombres:** *alguien, nadie, quien, uno, otro, ninguno* y *cualquiera: No vi a nadie,* excepto cuando *ninguno* sustituye a un nombre de cosa: *¿Encontraste los libros? No vi ninguno;* y cuando siguen al **verbo** *haber* usado como impersonal: *No hay nadie.*

Observaciones: En los casos en que se produce ambigüedad, puede ponerse la **preposición** para no confundir el **complemento** directo con el **sujeto:** *Odian los niños a los pájaros.* Y a la inversa, puede quitarse: *Recomendé Juan a Pedro/*Recomendé a Juan a Pedro.*

ACORDAR

Verbo irregular.

INDICATIVO

Presente: *acuerdo, acuerdas, acuerda, acordamos, acordáis, acuerdan.*

SUBJUNTIVO

Presente: *acuerde, acuerdes, acuerde, acordemos, acordéis, acuerden.*

IMPERATIVO

acuerda, acuerde, acordad, acuerden.

ACORDARSE DE

Por deseos de corrección, se suprime a veces la **preposición** *de* delante de *que,* cuando en este **verbo** es siempre necesaria. Es incorrecto: **Me acuerdo que...*/*Me acuerdo de que...*
Véase DEQUEÍSMO.

ACOSTUMBRAR

Como **verbo** transitivo significa «hacer **adquirir a alguien** alguna costumbre»: *Acostumbro al niño a comer solo.*
Como intransitivo, «tener costumbre de alguna cosa»: *Acostumbro comer solo.*
Es incorrecta la construcción **acostumbrar a* + **infinitivo,** no debe decirse: **Acostumbro a salir todas las tardes/acostumbro salir todas las tardes.*
No hay que confundir esta construcción con la reflexiva: *acostumbrase a* + **infinitivo,** que es perfectamente correcta: *Me acostumbraré a salir todas las tardes. El niño se acostumbra a comer solo.*

ACTITUD, APTITUD

Actitud significa «la postura que adopta el cuerpo humano», también figuradamente «la disposición de ánimo que se manifiesta con palabras o hechos»: *Cambió de actitud.*

No debe confundirse con *aptitud*, que es «la capacidad que se tiene para el desempeño de una actividad»: *Tiene una gran aptitud para el dibujo.*

ADAPTAR

Debe evitarse la pronunciación vulgar */adaztár/.*
Véase -PT-.

ADECUAR

Este **verbo** se conjuga como el **verbo** *averiguar*, así, si se dice: *averigua, averigüe,* del mismo modo debe decirse: *adecua, adecue;* son incorrectas las acentuaciones: *adecúa, adecúe.*
Véase AVERIGUAR.

ADELANTE, ADENTRO, ATRÁS

Estas formas sólo deben utilizarse con **verbos** de movimiento, con otros **verbos** se utilizan: *delante, dentro, detrás,* por tanto, son incorrectas frases como: *siéntate adelante/siéntate delante, *quédate adentro/quédate dentro, *mira atrás/mira detrás.*

Tampoco debe decirse: *adelante de* o *adentro de,* sino *delante de, dentro de.*

Y mucho menos formas vulgares como *alante: *Siéntate alante. *Ve p'alante.*

ADENTRO

Véase ADELANTE, ADENTRO, ATRÁS.

Adjetivo POR Adverbio

Consiste en utilizar un **adjetivo** modificando al **verbo** en lugar de un **adverbio**: *Trabaja duro/trabaja duramente*.

A veces, se produce una falta de **concordancia,** el **adjetivo** se siente como un **adverbio,** invariable, y no concuerda en **género** y **número** con el **nombre**: *Adjunto le envió los catálogos/Le envió los catálogos adjuntos.*

ADONDE, A DONDE

Su uso es indistinto, y ambas formas se confunden con la forma simple *donde*. La Academia recomienda escribir *adonde* cuando el antecedente está expreso: *Aquella es la casa adonde vamos,* y *a donde* cuando carece de antecedente: *Venían a donde yo estaba.*

Dónde, interrogativo, siempre va acentuado ortográficamente. Puede usarse con verbos de estado o de movimiento, mientras que *adónde,* interrogativo, sólo debe usarse con verbos de movimiento: *¿Adónde vamos? *¿Adónde estamos?/¿Dónde estamos?*

ADQUIRIR

Verbo irregular.

INDICATIVO

Presente: *adquiero, adquieres, adquiere, adquirimos, adquirís, adquieren.*

SUBJUNTIVO

Presente: *adquiera, adquieras, adquiera, adquiramos, adquiráis, adquieran.*

IMPERATIVO

adquiere, adquiera, adquirid, adquieran.

Adverbio por adjetivo

Consiste en utilizar un **adverbio** como si fuera un **adjetivo** y hacerle concordar en **género** y **número** con el **nombre,** cuando los 48 **adverbios** siempre son invariables: **Del uno al diez, ambos inclusives/ambos inclusive.*

ADVERSIÓN

Véase AVERSIÓN, ADVERSIÓN.

AERO-

Prefijo que forma parte de muchas palabras relacionadas con la aviación. Es frecuente que en su lugar se use incorrectamente la forma: **aéreo.* Ejemplos: **Aereonáutica/aeronáutica. *Aereopuerto/aeropuerto. *Aereoplano/aeroplano.*

AFUERA, FUERA

Se distinguen en que *afuera* se usa con **verbos** de movimiento o de situación, mientras que *fuera* sólo con **verbos** de situación. Es incorrecto decir: *Vete fuera/vete afuera. Estoy fuera, estoy afuera.*

AGRADECER

Verbo irregular.

INDICATIVO

Presente: *agradezco, agradeces, agradece, agradecemos, agradecéis, agradecen.*

SUBJUNTIVO

Presente: *agradezca, agradezcas, agradezca, agradezcamos, agradezcáis, agradezcan.*

IMPERATIVO

agradece, agradezca, agradeced, agradezcan.

AGREDIR

Es un **verbo** defectivo del que solo se usan las formas gue llevan *i* en su desinencia. Son incorrectas formas como: *agrede, *agreden.*

AGRESIVO

Agresivo, en español, es «el que ofende, provoca o ataca»; no debe emplearse con el significado de «activo», «dinámico», «emprendedor». Ejemplo: *Vendedores agresivos.*

AGUACHIRLE

Significa «bebida sin fuerza ni sustancia». No debe decirse: *aguachirli*; además, esta palabra es del **género** femenino. Ejemplo: *El café era una aguachirle/*un aguachirli*.

A HABER

Véase HABER, A HABER, A VER.

AHÍ

Ahí es una palabra aguda de dos sílabas, es vulgar decir: */ái/*. Ejemplo: *Vete por ái/vete por ahí*.

No debe confundirse *ahí*, **adverbio:** *Ahí vivo yo*; con *hay*, **verbo:** *Hay naranjas*; ni con *ay*, **exclamación:** *¡Ay!*

AHORA

Puede ir precedido de **preposición**, excepto *a*; es incorrecto decir: **de entonces a ahora/de entonces ahora*.

AIREAR

Es calco del inglés usarlo con el significado de «someter a estudio o discusión». En su lugar, puede usarse *ventilar*, que tiene esa acepción en español: *Ventilar un problema/*airear un problema*.

ALBÓNDIGAS

Lo correcto es decir *albóndigas* o *albondiguillas* para las «bolitas de carne picada»; es incorrecto decir: *almóndigas o *almondiguillas.

ÁLBUM

Su plural es *álbumes*, no *álbunes*.
Véase PLURAL.

ALEGRARSE DE

No puede omitirse la **preposición** *de* delante del *que*: *Me alegro que estés bien*/me alegro de que estés bien*, excepto en el caso de que sea el **sujeto** de la frase el que va detrás: *Me alegra verte, me alegra que estés bien*.

ALGUIEN

Pronombre indefinido que significa «una persona cualquiera sin determinar»; seguido de **complemento** partitivo, éste ha de ser un **adjetivo**, no un **nombre** o **pronombre**; en estos casos se utilizará *alguno*. Es incorrecto decir: *Debe venir alguien de vosotros*/debe venir alguno de vosotros*.

ALICATES

La Academia registra una forma en singular; por tanto, es correcto decir: *un alicate*, pero está más extendida y tiene más prestigio el plural: *los alicates*.

ALIMENTICIO, ALIMENTARIO

Alimenticio es «lo que alimenta o tiene la propiedad de alimentar»; a veces se usa el término *alimenticio* en lugar de *alimentario*, que significa «relativo a los alimentos». Los establecimientos son *alimentarios*, no *alimenticios*.

AL OBJETO DE

Véase CON OBJETO DE.

A LO LARGO DE

No tiene mucho sentido esta construcción empleada con unidades de tiempo como minutos o segundos, debe emplearse en su lugar *durante*. Ejemplo: **Habló a lo largo de cinco minutos/habló durante cinco minutos.*

ALTA CALIDAD

La calidad no puede ser ni alta ni baja, que son conceptos de altura; por tanto, no se debe decir: **Productos de alta calidad/productos de gran calidad, mucha calidad.*

ALTERNATIVA

Significa «posibilidad de elegir entre dos cosas»; es impropio decir: **Estoy ante dos alternativas/Estoy ante una alternativa.*

AMEDRENTAR

Debe evitarse decir: **amedrantar* y **amedentrar*.

ANDAR

Hay unos cuantos **verbos** que conservan el **perfecto** fuerte latino; el **verbo** *andar* lo ha creado por analogía con estos; así, lo correcto es decir: *anduve, anduviste, anduvo, anduvimos, anduvisteis, anduvieron.*
Es incorrecto: **andé, *andaste, *andó, *andamos, *andasteis, *andaron.*
La analogía se extiende a otras formas: *anduviera* o *anduviese* y no **andara* o **andase.*

INDICATIVO

Pretérito perfecto: *anduve, anduviste, anduvo, anduvimos, anduvisteis, anduvieron.*

SUBJUNTIVO

Pretérito imperfecto: *anduviera, anduvieras, anduviera, anduviéramos, anduvierais, anduvieran* (o *anduviese, anduvieses,* etc.).
Futuro: *anduviere, anduvieres, anduviere, anduviéremos, anduviereis, anduvieren.*

A NIVEL DE

La expresión *a nivel de* se utiliza para **expresar la altura** con respecto a la horizontalidad, de ahí frases como: *Estamos a nivel del mar, el agua no ha llegado al nivel de otras veces.* Es incorrecto, pues, su uso en expresiones como: **a nivel estatal, *a nivel de prueba.* Ejemplos: **Conversaciones al más alto nivel. *¿Qué opina usted a nivel personal?*

ANTES

Antes va seguido de la **preposición** *de* cuando lleva un **nombre:** *Antes de la comida serviré un aperitivo/*Antes que la comida.*

Va seguido de la **conjunción** *que* cuando va seguido de un **verbo** en forma personal: *Antes que saliera le avisé.*

ANTICIPAR

Significa «adelantar», «hacer algo antes de tiempo»; es impropio usar este **verbo** con el significado de «prever»: **Con los datos anticipados tomaremos una decisión/con los datos previstos.*

ANTÍPODA

Es palabra de **género** masculino, *el antípoda*, que significa «el habitante de un lugar diametralmente opuesto al que habla»; para significar ese mismo lugar se utiliza el plural: *los antípodas.* Es incorrecto usarlo en femenino: **las antípodas.*

ANVERSO

Significa «cara principal de las medallas, monedas, etc.»; por tanto, se utiliza mal cuando se quiere significar la parte posterior de éstas, que se denomina *reverso.*

APARTE, A PARTE

No debe confundirse *aparte*, **adverbio:** *He colocado aparte estos libros*, con *a parte*, **preposición** y **nombre**: *Tocamos a parte y media.*

APARTE DE

Es un barbarismo el uso de *aparte de* en lugar de *además de;* así son incorrectas frases como: **Aparte de esto, quería hablarte de otras cosas/Además de esto, quería hablarte de otras cosas.*

A PARTIR DE

Es incorrecto el uso de esta expresión cuando se está expresando un momento preciso: **El partido empezará a partir de las ocho/el partido empezará a las ocho.*

Se emplea correctamente en frases como: *Los periódicos se repartirán a partir de las ocho.*

APENAS, A PENAS

No debe confundirse *apenas,* **conjunción**: *Apenas llega, ya está cenando,* y **adverbio**: *Apenas come,* con *a penas,* **preposición** y **nombre**: *A penas mide la talla legal.*

A POR

El uso de *a por* es censurado por la Real Academia, aunque admite el uso de dos preposiciones, como: *por de pronto, en contra de lo dicho, por entre las nubes, desde por la mañana.*

APTITUD

Véase ACTITUD, APTITUD.

AQUEL, AQUELLA

Ya no es obligatoria su acentuación ortográfica cuando son **pronombres.**
Véase APÉNDICE DE ACENTUACIÓN ORTOGRÁFICA.

AQUEL DE, AQUELLA DE

Sólo pueden utilizarse con idea de situación: *aquel de allí.* Es incorrecto otro uso: **Los niños de Madrid son diferentes de aquellos de Barcelona/son diferentes de los de Barcelona.*

A QUEMA ROPA

Cuando se aplica a disparos, significa «desde muy cerca»; en sentido figurado, «de improviso». Se escribe siempre separado: **Un tiro a quemarropa/un tiro a quema ropa.*

ÁRNICA

Palabra esdrújula; es incorrecta su pronunciación como llana: **arnica/árnica.*

ARRAMBLAR

Arramblar significa «arrastrarlo todo con violencia»; se emplea en sentido figurado con el significado de «recoger y llevarse codiciosamente lo que se encuentra a mano». Es un vulgarismo usar **arramplar* en lugar de *arramblar: *Arrampló con todo/Arrambló con todo.*

ASCENDER

Verbo intransitivo; es incorrecto *su uso como* transitivo:
*Ascendió los Alpes/Ascendió a los Alpes.

ASIMISMO, ASÍ MISMO, A SÍ MISMO.

Asimismo significa «de éste o del mismo modo», «también». La Academia prefiere la grafía *así mismo*, aunque considera ambas válidas.

No debe confundirse con *a sí mismo*, que significa «a él mismo»: *Se hace daño a sí mismo.*

ASIR

Verbo irregular.

INDICATIVO

Presente: *asgo, ases, ase, asimos, asís, asen.*

SUBJUNTIVO

Presente: *asga, asgas, asga, asgamos, asgáis, asgan.*

IMPERATIVO

ase, asga, asid, asgan.

ASPIRAR

En español, el **verbo** aspirar tiene dos significados: «aspirar algo» como, por ejemplo, aire, y «aspirar a algo». No deben confundirse: *La paz que aspiramos los españoles será una realidad./La paz a la que aspiramos.

ASUMIR

Significa «tomar para sí». Ejemplo: *Asumir un cargo*. Es anglicismo usarlo con el significado de «tomar (tamaño, forma, proporciones, etc.) las cosas»: *El incendio asumió grandes proporciones*. O con el significado de «suponer», «presumir»: *Asumimos que lo que dices puede sernos de gran ayuda*.

ATIBORRAR

Significa «llenar algo de borra», pero se usa en sentido figurado como «atracarse», «hartarse de algo». Es un vulgarismo usar en su lugar *atiforrar: *Se atiforra de bombones/Se atiborra de bombones*.

A TIEMPO COMPLETO

Calco del inglés que es preferible sustituir por la expresión *dedicación exclusiva: *Necesitamos personas a tiempo completo*.

ATRÁS

Véase ADELANTE, ADENTRO, ATRÁS.

AÚN

Se escribe con acento ortográfico cuando significa «todavía»: *Aún está enfermo;* sin acento cuando significa «incluso», «también», «siquiera»: *Aun los sordos han de oírme. No hizo nada por él ni aun lo intentó. Saldré adelante con su ayuda y aun sin ella.*

AUTODIDACTA

Es el femenino de la forma *autodidacto,* por tanto, es incorrecto decir: **Un músico autodidacta/un músico autodidacto.*

A VER

Véase HABER, A HABER, A VER.

AVERIGUAR

En la conjugación del **verbo** *averiguar,* la *u* nunca se acentúa; se conjugan como él todos los **verbos** cuyo **infinitivo** termina en *-cuar* o *-guar.*

INDICATIVO

Presente: *averiguo, averiguas, averigua, averiguamos, averiguáis, averiguan.*

Pretérito imperfecto: *averiguaba, averiguabas, averiguaba, averiguábamos, averiguabais, averiguaban.*

Pretérito indefinido: *averigüé, averiguaste, averiguó, averiguamos, averiguasteis, averiguaron.*

Futuro imperfecto: *averiguaré, averiguarás, averiguará, averiguaremos, averiguaréis, averiguarán.*

Potencial simple: *averiguaría, averiguarías, averiguaría, averiguaríamos, averiguaríais, averiguarían.*

SUBJUNTIVO

Presente: *averigüe, averigües, averigüe, averigüemos, averigüéis, averigüen.*

Pretérito imperfecto: *averiguara, averiguaras, averiguara, averiguáramos, averiguarais, averiguaran* (*o averiguase, averiguases*, etc.)

Futuro imperfecto: *averiguare, averiguares, averiguare, averiguáremos, averiguareis, averiguaren.*

IMPERATIVO

averigua, averigüe, averiguad, averigüen.

FORMAS NO PERSONALES

Infinitivo: *averiguar.* **Gerundio:** *averiguando.* **Participio:** *averiguado.*

AVERSIÓN, ADVERSIÓN

Aversión significa «antipatía» o «repugnancia» y no tiene nada que ver con *adverso*, de ahí la forma: **adversión*. La «cualidad de adverso o contrario» es *oposición* o *antagonismo*.

-AVO

-avo tras los **numerales** indica las partes en que se divide un todo y no el orden, es incorrecto su uso en lugar de los **ordinales:** **Llegó el catorceavo a la meta/Llegó el decimocuarto.*

B

BAQUETAZO, BATACAZO

Baquetazo es el «golpe dado con una baqueta, palo con el que se toca el tambor», mientras *batacazo* es el «golpe que se da una persona cuando cae». Es incorrecta la expresión: **Tratar a batacazos*, debe decirse: *Tratar a baquetazos*, para significar «tratar a alguien con desprecio o severidad».

BASTO, VASTO

No debe confundirse *basto*, que significa «grosero», «tosco»; también se usa para «cualquiera de las cartas del palo de la baraja llamado bastos», con *vasto* que significa «extenso», «amplio».

BENDECIR

Verbo irregular. Se conjuga igual que *decir*, excepto en los siguientes **tiempos:**

INDICATIVO

Futuro: *bendeciré, bendecirás, bendecirá, bendeciremos, bendeciréis, bendecirán.*
Potencial simple: *bendeciría, bendecirías, bendeciría, bendeciríamos, bendeciríais, bendecirían.*

IMPERATIVO

bendice, bendiga, bendecid, bendigan.

FORMAS NO PERSONALES

Participio: *bendecido.*

Véase DECIR.

BENDITO, BENDECIDO

Bendecido es el **participio** del **verbo** *bendecir,* y *bendito,* un **adjetivo**; por tanto, se usará *bendecido* para los **tiempos** compuestos de la conjugación y la formación de la **pasiva**, y *bendito,* para adjetivar **nombres**: *ánima bendita, pan bendito.*
Véase BENDECIR.

BENEFICIOSO, BENÉFICO

Beneficioso quiere decir «provechoso», «útil», mientras que *benéfico* significa algo «destinado al bien»; no es lo mismo decir: *una asociación beneficiosa,* que es «útil», «de la que se va a sacar provecho», que *una asociación benéfica* que está «destinada a procurar el bien de los demás».

BIMENSUAL, BIMESTRAL

Bimensual significa «que se repite dos veces al mes»; por tanto, *una revista bimensual* es la «que sale dos veces en un mes»; *bimestral* significa «que se repite cada dos meses» o «que dura dos meses»; por tanto, *una revista bimestral* es aquella «que aparece cada dos meses».

BOCA ABAJO

Se escribe separado, es incorrecto: *Bocabajo. Ejemplo: *Tumba al niño boca abajo.*

BUHARDILLA

Debe decirse *buhardilla* y no *guardilla*.

BURÓ

Buró es un **galicismo** innecesario, es preferible usar en su lugar el termino español *escritorio*.

BUZONEAR, BUZONEO

Se utilizan con el significado de «echar propaganda en los buzones». No existen en español, por tanto, no deben usarse.

C

CABECERA, CABEZAL

La *cabecera* de la cama es «la parte en que se colocan las almohadas» o la «tabla que suele haber en la parte superior de las camas»; no debe usarse con este significado la palabra *cabezal,* que significa la «almohada larga que ocupa toda la cabecera de la cama». Es incorrecto decir: **Quiero un cabezal de madera de pino.*

CABER

Verbo irregular.

INDICATIVO

Presente: *quepo, cabes, cabe, cabemos, cabéis, caben.*
Pretérito perfecto: *cupe, cupiste, cupo, cupimos, cupisteis, cupieron.*
Futuro: *cabré, cabrás, cabrá, cabremos, cabréis, cabrán.*
Potencial simple: *cabría, cabrías, cabría, cabríamos, cabríais, cabrían.*

SUBJUNTIVO

Presente: *quepa, quepas, quepa, quepamos, quepáis, quepan.*
Pretérito: *cupiera, cupieras, cupiera, cupiéramos, cupierais, cupieran* (o *cupiese, cupieses,* etc.).
Futuro: *cupiere, cupieres, cupiere, cupiéremos, cupiereis, cupieren.*

IMPERATIVO

cabe, quepa, cabed, quepan.

CABEZAL

Véase CABECERA, CABEZAL.

CADA

Cada es un **adjetivo** distributivo; su uso con la simple idea de generalización es catalanismo, así no se debe decir: **Va cada semana al cine/va todas las semanas al cine. *Vengo cada día/vengo todos los días.*

CADA CUAL, CADA UNO

Son siempre singulares y no tienen variación de género, por tanto, concuerdan con el verbo en singular. Es incorrecto decir: **Tiraron cada uno por su lado/Tiró cada uno por su lado. *Salieron cada cual por donde pudieron/Salió cada cual por donde pudo.*

CAER

Verbo irregular.

INDICATIVO

Presente: *caigo, caes, cae, caemos, caéis, caen.*
Pretérito perfecto: *caí, caíste, cayó, caímos, caísteis, cayeron.*

SUBJUNTIVO

Presente: *caiga, caigas, caiga, caigamos, caigáis, caigan.*
Pretérito imperfecto: *cayera, cayeras, cayera, cayéramos,*
  cayerais, cayeran (o *cayese, cayeses*, etc.).
Futuro: *cayere, cayeres, cayere, cayéremos, cayereis, cayeren.*

IMPERATIVO

cae, caiga, caed, caigan.

FORMAS NO PERSONALES

Gerundio: *cayendo.*

CALCOMANÍA

Es la «imagen obtenida por un procedimiento que consiste en pasar la imagen desde un papel preparado a diversos objetos». Es vulgarismo decir: *Calcamonía* o *calcomonía/calcomanía.*

CAMUFLAR

Es un galicismo; en su lugar es preferible *usar disfrazar, disimular, enmascarar.*

CANELÓN

Debe usarse el termino *canelón* para significar «rollitos de pasta rellenos» y no **caneloni*, ni **canelloni*.

CARÁCTER

El plural de *carácter* es *caracteres*, con traslado del acento; es erróneo decir: **carácteres*.

CARÁTULA

Significa «careta», «máscara». Es un barbarismo usarlo con el sentido de «portada de un libro, de una cinta de vídeo».

CAREAR, CARIAR

Carear significa «poner dos personas cara a cara», *cariar* «producir caries en un diente». Es incorrecto: **Tengo una muela careada/tengo una muela cariada*.

CARNICERÍA

Carnicería no deriva de *carne*, sino del latín *carnis;* por tanto, es un vulgarismo usar: **carnecería*.

CASETE

Término adoptado por la Academia: *la casete,* en femenino, es la «cajita de plástico que contiene una cinta magnetofónica» y *el casete*, masculino, es «el magnetófono de casetes».

No debe decirse: */caset/, pronunciación de la palabra francesa: *cassette*.

CERRAR

Verbo irregular.

INDICATIVO

Presente: *cierro, cierras, cierra, cerramos, cerráis, cierran.*

SUBJUNTIVO

Presente: *cierre, cierres, cierre, cerremos, cerréis, cierren.*

IMPERATIVO

cierra, cierre, cerrad, cierren.

CERÚLEO

Significa «de color cielo», es decir «azulado»; a menudo se utiliza con el significado impropio «de color cera».

CESAR

El **verbo** *cesar* es intransitivo y, por tanto, nunca lleva **complemento** directo. Es incorrecto decir: **El director cesó al empleado/El director ha hecho cesar. *El empleado ha sido cesado por el director/El empleado ha cesado obligado, a petición, etc., del director.*

Véase TRANSITIVACIONES.

CINC

También puede escribirse *zinc;* su plural es *cines* o *zines,* pero nunca: **cincs,* **cinces* ni **cinques.*

CLIP

Anglicismo por *pinza, prendedor.* La Academia admite el término *clipe.*

COHESIÓN

Significa «unión»; debe evitarse la pronunciación vulgar **/coexión/.*

COLIGARSE

Significa «unirse», «confederarse»; no debe usarse **Coaligarse.*

COMENTAR, COMENTARIO

Comentar significa «explicar una cosa», «exponer opiniones sobre ella». Es impropio utilizar el término significando «contar un hecho o noticia». Ejemplo: **No comentes nada de lo que te he dicho/no digas...*

Este uso incorrecto se extiende tambien a comentario: **No hagas ningún comentario de lo que hemos visto.*

COMO

Como **adverbio** de modo, indica que lo que le sigue, frase o palabra, no es exactamente lo que significan, sino que se le parece. En el estilo coloquial se abusa de éste: *Me siento como muy mal.*

Cómo **interrogativo** y **exclamativo,** siempre va acentuado ortográficamente.

COMPARATIVO

Un mismo **adjetivo** no puede llevar juntos dos **comparativos:** **más inferior, *menos mejor,* etcétera.
Véase MÁS MAYOR QUE, MUY MAYOR.

COMPORTAR, COMPORTAMIENTO

Comportar significa «tolerar»; usado como pronominal, significa «portarse» y *comportamiento,* «manera de portarse». Es muy frecuente en el lenguaje político referirse al **comportamiento de los precios* cuando éstos suben o bajan, pero los precios no se comportan ni bien ni mal.

CONCERTACIÓN

Significa «contienda», «disputa»; debe evitarse su uso, calcado del francés, en el sentido de «concertarse», «ponerse de acuerdo», pues existen en español los términos: *acuerdo, concierto: *Llegaremos a la concertación de todas las fuerzas sociales.*

Concordancia

Hay muchas dudas y se cometen muchos errores por la falta de **concordancia,** la **concordancia;** consiste en la igualdad de **género, numero** y **persona** que debe haber entre dos palabras. Hay dos tipos de **concordancia:** nominal y verbal.

La **concordancia nominal** es la igualdad de **género** y **número** entre **determinantes** y el **nombre** o **pronombre** al que determinan, o entre **relativo** o **demostrativo** y su antecedente.

La **concordancia verbal** es la igualdad de **número** y **persona** entre el **verbo** y su **sujeto.**

Observaciones:

Concordancia nominal:

— Si existe diferencia entre el sexo de la persona y el **género** gramatical de la palabra que la designa, la **concordancia** se atiene al sexo: *Su Alteza está disgustado. Usted es muy guapa.*
— Si es un **nombre** colectivo singular, la **concordancia** se hace en singular: *La mayoría es tonta.* Si el mismo **nombre** colectivo lleva **determinantes** en plural, se prefiere la **concordancia** en plural y el **género** del **determinante:** *La mayoría de aquellas personas eran tontas.*
— Un **adjetivo** precedido de varios **nombres** en singular puede concertar con el último: *Valor e inteligencia unida,* aunque es preferible el plural: *Ciencia y elocuencia soberanas.*
— Un **adjetivo** ante varios **nombres** singulares puede ir en singular concertando con el más cercano, o en plural: *Soberana ciencia y elocuencia* o *Unidos valor e inteligencia.*
— Cualquier **artículo, posesivo** o **demostrativo, antepuesto** a varios **nombres,** va en singular: *Su padre y madre,* aunque, cuando le sigue un **adjetivo,** la **concordancia** es en plural: *Los referidos padre y madre.*

Concordancia verbal:

— Si el **sujeto** está compuesto de varias personas gramaticales, el **verbo** irá en plural, dominando la 2ª sobre la 3ª y la 1ª sobre las otras: *Tú y él os quedáis. Tú y yo nos quedamos.*

— Si el **sujeto** es un **nombre** colectivo singular, el **verbo** irá en singular: *La colmena estaba vacía*, pero si lleva un **complemento** en plural, la **concordancia** es en plural: *Multitud de personas acudieron.*

— Si con un **verbo** copulativo el **sujeto** es singular, pero el **predicado** es plural, el **verbo** va en plural: *Esa gente son profesores. Eso son tonterías.*

— Si el **sujeto** está formado por varios **nombres** en singular unidos por *y*, el **verbo** va en plural: *El niño y la niña tenían hambre.*

— Si el **sujeto** está formado por varios **nombres** en singular unidos por *o*, el **verbo** puede ir en singular o en plural: *Le gustaba la leche o el café. Le gustaban la leche o el café.*

Condicional

El **condicional** se emplea:

— Dependiendo de **verbos** de lengua o sentido utilizados en pasado: *Dijo que vendría.*

— Como cortesía con **verbos** de deseo, reproche o petición: *¿Podría decirme qué hora es?*

— En relación con el **subjuntivo**: *Si vinieras, yo iría también*, es incorrecto utilizarlo en correlación con el **indicativo**: **Si vienes, yo iría también/si vienes, yo iré también.*

— Como expresión de pasado: *Tendría por aquel entonces 10 años.* Es un galicismo usar el **condicional** como expresión de un pasado hipotético: **Podría estar dispuesto a hacerlo/parece estar dispuesto, tal vez esté dispuesto a hacerlo.*

— En **oraciones condicionales** irreales es incorrecto usar el **condicional** en lugar del *pretérito imperfecto de subjuntivo: *Si sabría, lo diría/si supiera, lo diría.*

CONDUCIR

Verbo irregular.

INDICATIVO

Presente: *conduzco, conduces, conduce, conducimos, conducís, conducen.*
Pretérito perfecto: *conduje, condujiste, condujo, condujimos, condujisteis, condujeron.*

SUBJUNTIVO

Presente: *conduzca, conduzcas, conduzca, conduzcamos, conduzcáis, conduzcan.*
Pretérito imperfecto: *condujera, condujeras, condujera, condujéramos, condujerais, condujeran (o condujese, condujeses, etc.).*
Futuro: *condujere, condujeres, condujere, condujéremos, condujereis, condujeren.*

CON OBJETO DE

Significa «con el fin de», debe evitarse usar *al objeto de* en su lugar: *Le escribo al objeto de.../con objeto de...*

CONQUE, CON QUE

No deben confundirse ambas formas, *conque*, **conjunción:** No *entiendes nada, conque cállate;* con *con que,* **preposición** y **relativo:** *No tengo nada con que vestirme.*

CONSISTIR EN

El **verbo** *consistir* lleva la **preposición** en; es incorrecto decir: **El problema consiste de tres elementos/consiste en tres elementos.*

CONTAINER

Es un término inglés que no es necesario, pues tenemos en español *contenedor.*

CONTEXTO

Su significado es «texto que precede o sigue a un enuncia-do» y «conjunto de circunstancias acompañantes»; se abusa de esta palabra cuando se emplea con el sentido de «ámbito», «situación». Ejemplo: *En el contexto actual de las relaciones entre los partidos.*

CONTRA

Contra es una **preposición,** y no debe usarse como **adver-bio** con el significado de *cuanto: *Contra mas les das más quie-ren/cuanto más...*

CONTRALUZ

Es del **género** femenino; por tanto, es incorrecto su uso como masculino: *El contraluz/La contraluz.*

CONTRICIÓN

Significa «arrepentimiento»; no debe decirse: *Contricción.*

CONVICCIÓN

Es un vulgarismo usar: *Convinción.*

CÓNYUGE

Es masculino y femenino; por tanto, se dirá: *El cónyuge, la cónyuge.* Es vulgarismo frecuente el uso de *cónyugue.*

CRAC

Es un anglicismo que debe evitarse; úsese en su lugar: *quiebra comercial.*

CROQUETA

Significa «fritura de forma ovalada»; debe evitarse, por vulgar, decir: *cocreta.*

CUAL

Cual es invariable en cuanto a *género;* su plural es *cuales;* son incorrectos: *cuala,* *cualo,* *cualas,* *cualos.*

CUALQUIERA

Cualquiera no es invariable; su plural es *cualesquiera;* no es correcto pues decir: **Cualquiera que sean los motivos/cualesquiera que sean.*

CUANDO

Introduce **oraciones subordinadas** temporales; a veces lleva un antecedente, pero se considera anglicismo que este antecedente sea un **nombre**; en estos casos debe evitarse: **Aquellos años cuando vivíamos tan bien/Aquellos años en los que..., entonces cuando...*

CUANDO MÁS, CUANTO MÁS

Cuando más significa «a lo sumo», «como mucho»; no debe sustituirse por *cuanto más,* que significa «todo lo que más». *Cuando más, trabaja ocho horas. Cuanto más trabaja, más pierde.*

CUANDO MENOS, CUANTO MENOS

Cuando menos significa «por lo menos» es incorrecto usar *cuanto menos,* que significa «todo lo que menos». *Cuando menos iremos a trabajar hoy. Cuanto menos trabaja, más gana.*

CUANTO

Véase CONTRA

CUARTO

Es vulgar utilizar expresiones como *cuarto kilo* o *cuarto litro*, en vez de cuarto de *kilo* o cuarto de litro. Ejemplo: *Déme un cuarto kilo de carne/Déme un cuarto de kilo.*

CUYO

Forma de relativo en decadencia; es sustituida frecuentemente por otras construcciones que son incorrectas: *de* + **relativo** (*del cual, de que, de quien*): **Los ríos de los que pude seguir el curso/cuyo curso pude seguir;* o **pronombre relativo + posesivo** (*que su*): **Ese chico que su padre vimos ayer/ cuyo* padre.
Véase QUESUISMO.

D

DAR

Verbo *irregular.*

INDICATIVO

Presente: *doy, das, da, damos, dais, dan.*
Pretérito perfecto: *di diste, dio, dimos, disteis, dieron.*

SUBJUNTIVO

Presente: *dé, des, dé, demos, deis, den.*
Pretérito imperfecto: *diera, dieras, diera, diéramos, dierais, dieran* (o *diese, dieses,* etc.).
Futuro: *diere, dieres, diere, diéremos, diereis, dieren.*

IMPERATIVO

da, dé, dad, den.

DAR DE SÍ

Se utiliza con el significado de «rendir», «producir», son erróneas las expresiones: *No doy más de sí. No damos más de sí, etcétera. Sí es **pronombre** de tercera persona; por tanto, su **sujeto** tiene que ser tercera persona también: No da más de sí.

DE ACUERDO A

Se trata de un **anglicismo,** que calca la expresión according to; en español debe decirse de acuerdo con: *De acuerdo a los hechos/De acuerdo con los hechos.

DEBAJO

Debajo no admite ir seguido de un **adjetivo** posesivo: *Debajo nuestro/Debajo de nosotros.
Véase ABAJO, DEBAJO.

DEBER + Infinitivo Y DEBER DE + Infinitivo

Deber seguido de un **infinitivo** expresa obligación; en cambio deber de con **infinitivo** expresa posibilidad.

La mayoría de los hablantes no hacen esta distinción, e incluso se producen fenómenos de ultracorrección, y se emplea deber de cuando se desea manifestar la obligación, y a la inversa, deber para manifestar posibilidad, ya que la perífrasis deber + **infinitivo** engloba dos significados, el obligativo y el potencial, por lo que el hablante no necesita diferenciar entre las dos.

Ejemplos: Debes estudiar. Tal vez debas de estudiar, en vez de trabajar.

DE CARA A

Se está extendiendo abusivamente el uso de *de cara a*. Ejemplo: **De cara al 92*; conviene que se sustituya por: *para, ante, con vistas a*.

DECIR

Verbo irregular.

INDICATIVO

Presente: *digo, dices, dice, decimos, decís, dicen.*
Pretérito perfecto: *dije, dijiste, dijo, dijimos, dijisteis, dijeron.*
Futuro: *diré, dirás, dirá, diremos, diréis, dirán.*
Potencial simple: *diría, dirías, diría, diríamos, diríais, dirían.*

SUBJUNTIVO

Presente: *diga, digas, diga, digamos, digáis, digan.*
Pretérito imperfecto: *dijere, dijeras, dijera, dijéramos, dijerais, dijeran* (o *dijese, dijeses*, etc.).
Futuro: *dijere, dijeres, dijere, dijéremos, dijereis, dijeren.*

IMPERATIVO

di, diga, decid, digan.

FORMAS NO PERSONALES

Gerundio: *diciendo.* **Participio:** *dicho.*

DELANTE, DENTRO, DETRÁS

No admiten ir seguidos de posesivos: *Delante nuestro/ Delante de nosotros.
Véase ADELANTE, ADENTRO, ATRÁS .

DELEZNABLE

Su significado es «que se deshace con facilidad», «inconsistente», «poco duradero»; se utiliza mal con el sentido impropio de «reprobable», «digno de repulsa», «asqueroso». Ejemplo: *Tu comportamiento es deleznable.

DENTRO

Véase ADELANTE, ADENTRO, ATRÁS.

DE POR SÍ

Sí es **pronombre** de tercera persona; es incorrecto usarlo para referirse a otras personas gramaticales: *Yo, de por sí, soy contrario a esto.

DEQUEÍSMO

Consiste en colocar la **preposición** de delante de *que* cuando ésta no es necesaria, pues no la exige ni el **verbo** ni el **sustantivo.**
Ejemplos: *Opino de que/Opino que. *Creo de que/Creo que. *Dije de que/Dije que. *Sospecho de que/Sospecho que.
Por ultracorrección, el hablante a veces suprime la **preposición** de en construcciones en las que sí es necesaria: *Estoy

*seguro que vendrá/Estoy seguro de que vendrá. *Le informé que ven-dría/Le informé de que vendría.*

DESPACIO

Es incorrecto usar este **adverbio** para referirse al tono de voz, pues significa «lentamente». Ejemplo: *Habla despacio/Habla en voz baja.*

DESPUÉS DE

Después de que + **subjuntivo** es una construcción calcada del inglés: *Cuatro personas resultaron heridas después de que estallara el artefacto.*

En español se debe utilizar: *después de* + **infinitivo**: *Después de estallar*, o *cuando* + **indicativo**: *Cuando estalló.*

DESTERNILLARSE

Este **verbo** deriva de *ternilla*, y no de *tornillo*; es un vulgarismo decir *destornillarse*, en lugar de *desternillarse*.

DETECTAR

El significado de este **verbo** es «descubrir algo sirviéndose de instrumentos mecánicos». Ejemplo: *Le detectaron un cáncer.* No debe usarse con el significado impropio de «ver» o «descubrir». Ejemplo: *Fue detectado entre la multitud.*

DETENTAR

Su significado es «usurpar el poder», «atribuirse una cosa

indebidamente»; por tanto, es incorrecto su empleo para significar «que alguien tiene el poder o el mando».

Ejemplos: *El dictador detentó el poder durante varios años. *El jugador detenta el título./El jugador tiene el título.*

DETRÁS

No admite que le siga un posesivo: *Detrás suyo/Detrás de él.* Véase ADELANTE, ADENTRO, ATRÁS.

DIFERENTE DE

La construcción de la comparación de desigualdad es *diferente de* y no *diferente a*: *Es diferente a aquel/Es diferente de aquel.*

DINAMIZAR

No existe este **verbo** en español; se debe sustituir por otros como *activar, animar, estimular,* etc. Ejemplos: *Debemos dinamizar la economía/Debemos activar.*

-D- intervocálica

La pronunciación de la *-d-* entre vocales es relajada, llegando hasta el punto de no pronunciarse en las terminaciones en -ado de los **participios** verbales y en los *nombres*. Esta pronunciación debe evitarse: *Senao, *comprao por Senado, comprado.*

DIOPTRÍA

Es incorrecto decir *diotría* por *dioptría.*
Véase -PT-.

DISCERNIR

Verbo irregular.

INDICATIVO

Presente: *discierno, disciernes, discierne, discernimos, discernís, disciernen.*

SUBJUNTIVO

Presente: *discierna, disciernas, discierna, discernamos, discernáis, disciernan.*

IMPERATIVO

discierne, discierna, discernid, disciernan.

DISCRECIÓN

En incorrecto decir *discrección* por *discreción*. Lo mismo vale para sus derivados: *indiscreción, discrecional.*

DOMÉSTICO

Significa «de casa»; es impropio usarlo con el sentido de «nacional». Ejemplo: *Los asuntos domésticos del país vecino./Los asuntos nacionales.*

DONDE

Donde tiene un significado de lugar; por tanto, es impropio usarlo para significar tiempo: *Lloverá por la tarde donde se producirán chubascos.*
Véase ADONDE, A DONDE.

DOPAR

Término inglés cuyo uso es innecesario, pues contamos en español con el **verbo** *drogar*. La Academia ha admitido recientemente el término *dopado*.

DORMIR

Verbo irregular.

INDICATIVO

Presente: *duermo, duermes, duerme, dormimos, dormís, duermen.*
Pretérito perfecto: *dormí, dormiste, durmió, dormimos, dormisteis, durmieron.*

SUBJUNTIVO

Presente: *duerma, duermas, duerma, durmamos, durmáis, duerman.*
Pretérito imperfecto: *durmiera, durmieras, durmiera, durmiéramos, durmierais, durmieran* (o *durmiese, durmieses,* etcétera).
Futuro: *durmiere, durmieres, durmiere, durmiéremos, «durmiereis, durmieren.*

IMPERATIVO

duerme, duerma, dormid, duerman.

FORMAS NO PERSONALES

Gerundio: *durmiendo.*

DUODÉCIMO

Es el **ordinal** que corresponde al numero *doce;* es incorrecto decir: **Decimosegundo/duodécimo.*

E

ÉL, SÍ

No debe usarse *él, ellos, ella, ellas* en lugar de *sí* con valor reflexivo. Ejemplo: **Lleva muchos libros con él/Lleva muchos libros consigo.*

EMERGENCIA

Significa «acción y efecto de brotar o emerger»; por tanto, no es sinónimo de «urgencia». Debe decirse *salida de urgencia* y no **salida de emergencia*, a menos que se salga de un sótano a la calle.

EN BASE A

Esta locución debe evitarse, sustituyéndola por otras más españolas como: *en relación con, tomando como base, a partir de, basado en.* Ejemplo: **En base a los datos/A partir de los datos.*

EN CANTIDAD

Es preferible sustituirla por: *En abundancia, sobradamente.* Ejemplo: *Había personas en abundancia.*

ENCIMA

Encima, seguido de un **pronombre** personal, se sustituye a veces en el habla vulgar por *encima* seguido de **posesivo**. Así es incorrecto: **Vive encima mía/Vive encima de mí.*

ENCLENQUE

Significa «débil», «enfermizo». Es errónea la forma: **Enquencle/Enclenque.*

ENCONTRAR A FALTAR

Es **catalanismo** por «echar en falta», «echar de menos». Es incorrecto decir: **Encuentro a faltar muchas cosas./Echo de menos.*

ENERVAR

Significa «debilitar», «aflojar», «relajar». La Academia ha admitido recientemente el significado opuesto de: «irritar», «crispar», «poner nervioso», que ya se hallaba muy extendido en el habla popular.

ENFRENTE

No es correcto que vaya seguido de posesivo: **Vive enfrente mía/Vive enfrente de mí.*

EN OLOR DE MULTITUDES

Loor significa «alabanza», no debe decirse por incongruente: *Salió en olor de multitudes/*Salió en honor de multitudes, sino: Salió en loor de multitudes.

EN PROFUNDIDAD

En profundidad expresa un concepto de altura; por tanto, es incorrecto decir: *Discutiremos el problema en profundidad, sino: con detenimiento, con profundidad.

EN SEGUIDA, ENSEGUIDA

Es igualmente correcto escribirlo junto que separado: Voy en seguida, voy enseguida.

ENTENDER

Verbo irregular.

INDICATIVO

Presente: entiendo, entiendes, entiende, entendemos, entendéis, entienden.

SUBJUNTIVO

Presente: entienda, entiendas, entienda, entendamos, entendáis, entiendan.

IMPERATIVO

entiende, entienda, entended, entiendan.

ENTRE

Esta **preposición** suele preceder a dos **sustantivos** unidos por la **conjunción** *y*.

Cuando el primero es un **pronombre** personal de primera o segunda persona, el **pronombre** será *mí* o *ti* si el segundo es un **nombre**. Ejemplo: *Entre ti y tu padre/*Entre tú y tu padre*.

Cuando el segundo es también un **pronombre**, el primero llevará la forma *yo, tu*. Ejemplo: *Entre tú y ella. Entre yo y otros*.

ENTRENAR

Como **verbo** intransitivo sólo debe ir en forma pronominal. Es incorrecto decir: **El equipo entrenó ayer./El equipo se entrenó ayer*.

En forma no pronominal es transitivo: *El Sr. X. entrenará al equipo*.

Véase TRANSITIVACIONES.

ENTRENO, ENTRENAMIENTO

Se debe decir el *entrenamiento*, no el **entreno*.

EN VEZ DE

Significa «en lugar de»; no debe usarse seguido de un posesivo. Ejemplo: **Cogió mi libro en vez del suyo/En vez del de él*.

ERGUIR

Verbo irregular.

INDICATIVO

Presente: *yergo, yergues, yergue, erguimos, erguís, yerguen.*
Pretérito perfecto: *erguí, erguiste, irguió, erguimos, erguisteis, irguieron.*

SUBJUNTIVO

Presente: *yerga, yergas, yerga, irgamos, irgáis, yergan.*
Pretérito imperfecto: *irguiera, irguieras, irguiera, irguiéramos, irguierais, irguieran* (o *irguiese, irguieses,* etc.).
Futuro: *irguiere, irguieres, irguiere, irguiéremos, irguiereis, irguieren.*

IMPERATIVO

yergue, yerga, erguid, yergan.

FORMAS NO PERSONALES

Gerundio: *irguiendo.*

ERRAR

Verbo irregular.

INDICATIVO

Presente: *yerro, yerras, yerra, erramos, erráis, yerran.*

SUBJUNTIVO

Presente: *yerre, yerres, yerre, erremos, erréis, yerren.*

IMPERATIVO
yerra, yerre, errad, yerren.

ESCRIBIR

Verbo irregular.

FORMAS NO PERSONALES
Participio: *escrito.*

ESE, ESA, ESO/ ÉSE, ÉSA, *ÉSO

Ese, esa **adjetivos,** nunca se acentúan, pero se acentúan cuando son **pronombres** para diferenciarlos de los **adjetivos;** por tanto, se escribirá: *ése, ésa,* aunque esta norma ya ha dejado de ser obligatoria. Nunca se acentuara **éso,* porque *eso* sólo puede ser **pronombre** y no puede confundirse, ya que nunca puede usarse como un **adjetivo** neutro, pues no hay en español *nombres* neutros.

ESNOB

Esnob significa «persona que acoge las novedades con admiración necia o para darse tono». Es incorrecto usar en su lugar el término inglés del que procede **snob.*
Su plural es *esnobs.*

ESOTÉRICO, EXOTÉRICO

No debe confundirse, *esotérico*, que significa «oculto», «reservado», con *exotérico*, que significa «común», «accesible para el vulgo».

ESPAGUETI

Palabra aceptada por la Academia que deriva del italiano *spaghetti*, masculino plural.

En español, *espagueti* es masculino singular, y su plural es *espaguetis*.

ESPÉCIMEN

Espécimen es una palabra esdrújula; su utilización como llana es incorrecta: *¡Menudo especimen!/¡Menudo espécimen!*

En plural cambia el lugar del acento: *Especímenes*.

ESPIRAR, EXPIRAR

No deben confundirse *espirar*, que significa «arrojar el aire de los pulmones», con *expirar* que significa «morirse». Ejemplo: *Inspire, expire./Inspire, espire.*

ES POR ESO QUE

Esta construcción es un calco del francés que debe evitarse; en español lo correcto es decir: *es por esto por lo que, por esto es por lo que*, o sólo *por esto*. Ejemplo: *Es por eso que he venido/Es por eso por lo que he venido.*

ESPURIO

Significa «bastardo», «adulterado»; es incorrecto decir *espúreo* por *espurio*.

ESTALLAR

Es un **verbo** intransitivo; su uso como transitivo es incorrecto: *La policía estalló la bomba/La policía hizo estallar.*
Véase TRANSITIVACIONES.

ESTAR

Verbo irregular.

INDICATIVO

Presente: *estoy, estás, está, estamos, estáis, están.*
Pretérito perfecto: *estuve, estuviste, estuvo, estuvimos, estuvisteis, estuvieron.*

SUBJUNTIVO

Presente: *esté, estés, esté, estemos, estéis, estén.*
Pretérito imperfecto: *estuviera, estuvieras, estuviera, estuviéramos, estuvierais, estuvieran* (o *estuviese, estuvieses,* etcétera).
Futuro: *estuviere, estuvieres, estuviere, estuviéremos, estuviereis, estuvieren.*

IMPERATIVO

está, esté, estad, estén.

Véase SER Y ESTAR.

ESTAR DE MÁS

Significa «estar de sobra»; se escribe siempre separado. Es incorrecto: *Estar demás.*

ESTE, ESTA, ESTO/ÉSTE, ÉSTA, *ÉSTO

Este, esta **adjetivos**, no se acentúan, se acentúan sólo cuando son **pronombres** para diferenciarlos de los **adjetivos**; por tanto, se escribirá: *éste, ésta,* aunque esta norma ya ha dejado de ser obligatoria, pero nunca *ésto,* porque *esto* sólo puede ser **pronombre** y no puede confundirse, ya que nunca puede usarse como **adjetivo** neutro, pues no hay en español **nombres** neutros.

ESTIMACIONES

Procede del **verbo** *estimar,* que significa «apreciar», «dar valor a algo». Es incorrecto su uso en expresiones como: *Según las últimas estimaciones, los daños sufridos.* Debe decirse: *Según los últimos cálculos.*

ESTIRAR

Significa «alargar o dilatar una cosa para que dé de sí»; es vulgarismo usarlo en lugar de *tirar*: *Le estiró del brazo/Le tiró del brazo.*

Esto también se produce en la expresión *un tira y afloja,* es incorrecto decir: *un estira y afloja.*

ESTREÑIR

Es vulgar utilizar la forma *estriñir, y su **participio** *estriñido*, en lugar de *estreñir* y *estreñido*.

ETCÉTERA

Debe evitarse la pronunciación */ekcétera/*.

EVACUAR

Este **verbo** se conjuga como el **verbo** *averiguar;* así, si se dice: *averigua, averigüe*, del mismo modo debe decirse: *evacua, evacue*. Son incorrectas las acentuaciones: *evacúa, evacúe*. Véase AVERIGUAR.

EVIDENCIA

Significa «certeza clara, manifiesta y tan perceptible de una cosa, que nadie puede racionalmente dudar de ella»; por tanto, se usa incorrectamente con el significado de «prueba en un juicio». Ejemplo: *Tenemos una evidencia de que fue planeado con antelación./Tenemos una prueba.*

EXCEPTO

Cuando va seguido de los **pronombres** de primera y segunda persona de singular, estos toman la forma: *yo, tú.* Ejemplos: *Excepto tú todos vendrán. Excepto yo, todos irán.*

EXILIAR

Este **verbo** deriva de *exilio*; por tanto, el **verbo** es *exiliar*, y su **participio**, *exiliado*, y no **exilar* ni **exilado*.

EXOTÉRICO

Véase ESOTÉRICO, EXOTÉRICO.

EXPIRAR

Véase ESPIRAR, EXPIRAR.

EXPLOTAR

El **verbo** explotar es transitivo en *explotar una mina, explotar el éxito, explotar a alguien*, con el significado de «obtener un beneficio». Pero es intransitivo con el significado de «hacer explosión», «estallar»; por tanto, es incorrecto su uso como transitivo en este caso: **Alguien explotó el globo/Alguien hizo explotar.*
Véase TRANSITIVACIONES.

EXTERNA, EXTERIOR

Externa significa «que esta en la parte de fuera», y *exterior*, además de tener esa misma acepción, significa «relativo a otros países por contraposición a nacional». Por eso, no debe decirse: **La deuda externa*, en lugar de: *La deuda exterior.*

EXTRAVERTIDO

Significa «que se interesa principalmente por lo exterior de sí mismo»; está formado por el prefijo *extra-*, que significa «fuera»; es incorrecta la forma **extrovertido* por *extravertido*, influida por su opuesto *introvertido*, formado con el prefijo *intro-*.

F

Fechas

Algunas observaciones:

- Uso de mayúsculas y minúsculas:

El nombre del día de la semana irá siempre en minúsculas, el del mes puede escribirse con minúscula o mayúscula, aunque hoy predomina la minúscula. Ejemplo: *Madrid, martes, 23 de mayo de 1978.*

- Preposiciones:

Puede no llevar ninguna: *23 mayo 1978.*
Puede llevar *de: 23 de mayo de 1978.*
Si lleva el nombre del lugar, puede o no llevar *a: Madrid, 23 de mayo de 1978. Madrid, a 23 de mayo de 1978.*

Femeninos de profesión

Se debe utilizar el femenino cuando las profesiones son desempeñadas por mujeres: *la abogada, la ministra,* etc. El diccionario va incluyendo cada vez más los femeninos de los nombres de profesiones que antes solo ejercían hombres: *arqueóloga, arquitecta, ingeniera, decana, odontóloga, geógrafa, fotógrafa, jueza,* etcétera.

Véase -ISTA.

FRAGANTE, FLAGRANTE

Aunque en los diccionarios se mantiene la sinonimia de ambos términos, el significado propio de *fragante* es «lo que despide fragancia», mientras que el de *flagrante* es «lo que se ejecuta actualmente». Ejemplos: *Una rosa fragante. Un delito flagrante.* Véase IN FLAGRANTI.

FRANQUEAR

Significa «quitar los impedimentos para el paso por una entrada», es impropio usar este término para significar «el paso por una entrada». *Franquear la puerta* no significa «pasar por ella», sino «dejar pasar a alguien por ella».

FRATRICIDA

No es correcto decir: **fraticida* y *fraticidio* en lugar de: *fratricida* y *fratricidio*.

FREÍDO, FRITO

Ambos son **participios** del **verbo** *freír*; por tanto, ambos pueden usarse en la **conjugación**, si bien *freído* es más raro y menos usado.
Véase FREÍR.

FREÍR

Verbo irregular.

FORMAS NO PERSONALES
Participio: *frito* (o *freído*).

Se conjuga igual que *reír*, excepto en el **participio.**

FRIEGAPLATOS

Es vulgar decir **fregaplatos* por *friegaplatos.*

FRIEGASUELOS

Es vulgar decir **fregasuelos* por *friegasuelos.*

FRUSTRAR

Es vulgar decir **fustrar*, **fustrado*, por *frustrar*, *frustrado.*

FUERA

Véase AFUERA, FUERA

Futuros formados a partir de infinitivos en verbos compuestos

Los verbos compuestos de **preposición** y **verbo** irregular se conjugan siguiendo el modelo del verbo, y, por tanto, su irregularidad. Es incorrecto formar **futuros** regulares. Ejemplos: **Deshacerá/deshará. *Contradeciré/contradiré. *Entreteneremos/entretendremos.*

G

GASODUCTO

Significa «conducto para transportar gas a larga distancia»; por analogía con *oleoducto* se ha creado la forma incorrecta: **gaseoducto.*

Gerundio

El **gerundio** expresa una acción en desarrollo, anterior o simultánea a la acción expresada por la principal. Ejemplos: *Viendo a su padre, corrió hacia él. Lee, paseándose.*

El uso del **gerundio** para expresar una acción posterior es incorrecto; sólo cuando esa posterioridad es inmediata puede aceptarse. Es incorrecto el uso del **gerundio** cuando la **acción** es muy posterior: **Lo escribió en 1980, pubicándoselo veinte años después.*

Es incorrecto, un **galicismo,** su uso como **participio** de presente, o sea, como **adjetivo** en función de **atributo:** **Un barril conteniendo cerveza.* Son excepciones admitidas por la Real Academia: *hirviendo* y *ardiendo,* siempre invariables en **género** y **número:** *agua hirviendo, palo ardiendo.*

GRABAR, GRAVAR

No deben confundirse *grabar,* que significa «señalar», «esculpir», con *gravar,* que significa «causar gravamen, carga».

GUATEADO

Deriva de *guata;* es errónea la forma *boateado.* Ejemplo: **Una bata boateada/guateada.*

H

HABER

Verbo irregular.

INDICATIVO

Presente: *he, has, ha, hemos, habéis, han* (3ª pers. impersonal: *hay*).
Pretérito perfecto: *hube, hubiste, hubo, hubimos, hubisteis, hubieron.*
Futuro: *habré, habrás, habrá, habremos, habréis, habrán.*
Potencial simple: *habría, habrías, habríamos, habríais, habrían.*

SUBJUNTIVO

Presente: *haya, hayas, haya, hayamos, hayáis, hayan.*
Pretérito imperfecto: *hubiera, hubieras, hubiera, hubiéramos, hubierais, hubieran* (o *hubiese, hubieses,* etc.).
Futuro: *hubiere, hubieres, hubiere, hubiéremos, hubiereis, hubieren.*

HABER, A HABER, A VER

No deben confundirse.
Haber es un **verbo** auxiliar con el que se forman tiempos compuestos: *Haber venido antes.*
A haber se compone de la **preposición** *a* y del **verbo** *haber*: *Va a haber que decirle algo.*
Véase IR A.

A ver se compone de la preposición *a* y del verbo *ver: A ver si hay formalidad.*

HABER IMPERSONAL

El **verbo** *haber,* usado como impersonal, sólo tiene una persona, la tercera, y no tiene **sujeto**, sino **complemento** directo.
Es incorrecto poner el **verbo** en plural concordando con el **sujeto**, pues este no es **sujeto** sino **complemento** directo. Ejemplo: **Habían pocas personas/Había pocas personas.*

HABER QUE + INFINITIVO

Esta perífrasis es impersonal; por tanto, no debe construirse con **sujeto**. Ejemplo: **¡Lo que hay que trabajar los pobres! *Pronto habrá que lamentarnos de lo que acabamos de hacer/lamentarse,* exige el **pronombre** *se* impersonal.
Se produce un cruce con la perífrasis *tener que + infinitivo: Lo que tenemos que trabajar los pobres. *Todo esto habrá que pagarlo la sociedad/Tendrá que pagarlo la sociedad.*

HACER

Verbo irregular.

INDICATIVO

Presente: *hago, haces, hace, hacemos, hacéis, hacen.*
Pretérito perfecto: *hice, hiciste, hizo, hicimos, hicisteis, hicieron.*
Futuro: *haré, harás, hará, haremos, haréis, harán.*
Potencial simple: *haría, harías, haría, haríamos, haríais, harían.*

SUBJUNTIVO

Presente: *haga, hagas, haga, hagamos, hagáis, hagan.*
Pretérito imperfecto: *hiciera, hicieras, hiciera, hiciéramos, hicierais, hicieran* (o *hiciese, hicieses,* etc.)
Futuro: *hiciere, hicieres, hiciere, hiciéremos, hiciereis, hicieren.*

IMPERATIVO

haz, haga, haced, hagan.

FORMAS NO PERSONALES

Participio: *hecho.*

HACER MENCIÓN A

La construcción correcta es *hacer mención a*, por tanto, no debe decirse: **Hacer mención del asunto/Hacer mención al asunto.*

HALLA, HAYA

No debe confundirse *halla*, **Presente de indicativo** del **verbo** *hallar*, que significa «encontrar»: *No hallamos nada;* con *haya*, **Presente de subjuntivo** del **verbo** *haber: Espero que el trabajo se haya hecho.*

HASTA QUE NO

Se da una presencia anormal del **adverbio** *no* con *hasta*:
*Ninguno se marcho hasta que no se acabó el vino/Hasta que se acabó.

Esto sucede cuando el **verbo** principal va acompañado de una negación, entonces *se* introduce un *no* que carece de significado negativo.

HUIR

Verbo irregular.

INDICATIVO

Presente: *huyo, huyes, huye, huimos, huís, huyen.*
Pretérito perfecto: *huí, huiste, huyó, huimos, huisteis, huyeron.*

SUBJUNTIVO

Presente: *huya, huyas, huya, huyamos, huyáis, huyan.*
Pretérito imperfecto: *huyera, huyeras, huyera, huyéramos, huyerais, huyeran* (o *huyese, huyeses,* etc.).
Futuro: *huyere, huyeres, huyere, huyéremos, huyereis, huyeren.*

IMPERATIVO

huye, huya, huid, huyan.

FORMAS NO PERSONALES

Gerundio: *huyendo.*

I

IBERO

Se aceptan las dos pronunciaciones: *ibero* e *íbero*, aunque suele preferirse la primera.

IGNORAR

Significa «desconocer», es impropio su uso, como anglicismo, significando «no hacer caso». Ejemplo: **Ignoró a su mujer durante toda la reunión.*

IGUAL QUE

La construcción comparativa de igualdad es *igual que;* es incorrecto utilizar **igual a*. Ejemplos: **Es igual a él/Es igual que él.*

Cuando se comparan hechos, es incorrecto usar **igual como*, debe usarse *igual que* o *como*. Ejemplo: **Hacen las cosas igual como niños/igual que niños/como niños.*

IMITACIÓN DE

La construcción correcta es *imitación de,* es incorrecto decir *imitación a.* Ejemplos: **Imitación a la vida/de la vida. *Imitación a cuero/de cuero.*

IMPACIENTE POR

La construcción correcta es *impaciente por*; debe evitarse decir: **Estoy impaciente de hacerlo/Estoy impaciente por hacerlo.*

IMPRIMIR

Verbo irregular.

FORMAS NO PERSONALES

Participio: *impreso* (o *imprimido*).

IMPRESO, IMPRIMIDO

Ambos son **participios** del **verbo** *imprimir*; por tanto, ambos pueden usarse en la **conjugación**, si bien *imprimido* es más raro y menos usado.
Véase IMPRIMIR.

INCIDIR

Su significado es «incurrir en un error»; no debe utilizarse con el sentido de «influir», «afectar». Ejemplo: **El alza de los precio incide en la economía/influye en la economía.*

INCLUSO

Seguido de **pronombres** de la primera y segunda persona, éstos toman la forma: *yo, tu*. Ejemplo: *Incluso tú, lo dudas.*

INCLUYENDO

Se traduce mal del inglés en casos como este: **Resultaron heridas seis personas, incluyendo tres mujeres/de entre ellas tres mujeres*. En español se interpretaría como: «Son seis personas, si se incluyen entre las personas las tres mujeres».

INCRUSTAR

Es vulgarismo decir **incrustrar, *incrustrado*. Ejemplo: **La bala se ha incrustrado en la pared/se ha incrustado.*

INDISCRECIÓN

Véase DISCRECIÓN.

INFERIOR A

Es la forma comparativa de *bajo*; mientras más bajo se construye con *que*; *inferior* se construye con *a* y no admite el **adverbio** *más*. Es incorrecto: **Esta tela es más inferior que aquella/es inferior a aquella.*

INFINIDAD

Concuerda en singular. Ejemplo: **Una infinidad de personas se agruparon en la calle/se agrupó.*

Infinitivo por imperativo

Consiste en el uso del **infinitivo** verbal en lugar del **imperativo**. Ejemplos: **Ir/id. *Callar/callad. *Esperar/esperad.*
El error persiste aun cuando al **verbo** se le añade el **pronombre** *os: *Sentaros/sentaos. *Callaros/callaos.* Lo correcto es suprimir la *d* final del **imperativo** al añadir el **pronombre**; lo incorrecto, añadir el **pronombre** al **infinitivo**.
Algunas observaciones:
La forma para el **verbo** ir es *idos* y no **iros* ni **íos.*
Es correcto usar el **infinitivo** precedido de la **preposición** *a: a callar, a dormir,* y cuando se dirige a un interlocutor impersonalizado: *girar a la derecha; no tocar, peligro de muerte,* pues se trata de expresiones cuyo **verbo** principal está elidido: *(id) a dormir, (es obligado) girar a la derecha, no (hay que) tocar.*
En las frases negativas, debe emplearse el **verbo** en **subjuntivo**; es incorrecto el uso del **infinitivo** o del **imperativo**: **No preocuparos/*No preocupaos/No os preocupéis. *No salir/*No salid/No salgáis.*
El **imperativo** siempre lleva el **pronombre complemento** pospuesto: **Me dé un litro de vino/Déme un litro de vino.*

Infinitivo por subjuntivo

Consiste en el uso del **infinitivo** del **verbo** *decir* o de algún otro parecido *(exponer, advertir, señalar, destacar,* etc.) introduciendo un mensaje con *que;* es frecuente en el lenguaje periodístico, locutores de radio, etc. Ejemplos: **Añadir, ya para terminar, que... *Finalmente, señalar que... *Sólo queda señalar...* En su lugar debería usarse un *subjuntivo* en plural de modestia: *Añadiremos, señalaremos,* etc., o bien una construcción del tipo: *quiero/queremos + infinitivo* o *he/hemos de + infinitivo: queremos añadir, hemos de señalar.*

Infinitivo por subjuntivo o indicativo

En algunas frase **subordinadas** que expresan orden, deseo, etcétera, por **anglicismo**, se sustituye el **subjuntivo** o el **indi-**

cativo por el **infinitivo**. Ejemplos: *El capitán ordenó traer al prisionero/que trajesen, que trajésemos. *Me pidió pagar la cuenta/que pagase, que le permitiera pagar.* Nótese la ambigüedad en esta última frase.

INFLACIÓN

Es erróneo decir *inflacción* por *inflación*.

IN FLAGRANTI

Locución latina que significa «en el mismo momento de estarse cometiendo un delito». Es correcta y más usual la forma *in fraganti*, y otra variante más, *en fraganti*, así como la forma ya plenamente española, *en flagrante*.
Véase FRAGANTE, FLAGRANTE.

INFRINGIR, INFLIGIR

No deben confundirse *infringir* que significa «quebrantar» con *infligir*, que significa «imponer» un castigo, «causar» un daño. Ejemplos: *Ha infringido la ley. Le infligió grandes pérdidas.* Son incorrectas las formas: *inflingir y *infrigir*.

ÍNFULAS

Significa «pretensiones», es error común confundirlo con *ínsulas*. Ejemplo: *Vino con muchas ínsulas/Vino con muchas ínfulas*.

IR

Verbo irregular.

INDICATIVO

Presente: *voy, vas, va, vamos, vais, van.*
Pretérito imperfecto: *iba, ibas, iba, íbamos, ibais, iban.*
Pretérito perfecto: *fui, fuiste, fue, fuimos, fuisteis, fueron.*

SUBJUNTIVO

Presente: *vaya, vayas, vaya, vayamos, vayáis, vayan.*
Pretérito imperfecto: *fuera, fueras, fuera, fuéramos, fuerais, fueran* (o *fuese, fueses,* etc.)
Futuro: *fuere, fueres, fuere, fuéremos, fuereis, fueren.*

IMPERATIVO

ve, vaya, id, vayan.

FORMAS NO PERSONALES

Gerundio: *yendo.*

ISRAELÍ, ISRAELITA

No deben confundirse *israelí*, «del Estado de Israel», con israelita, «hebreo o judío». Hay judíos que son *israelitas* sin ser por ello *israelíes*, pues no son ciudadanos de Israel.

-ISTA

Este sufijo sirve para formar **sustantivos** que significan «pertenencia a un oficio, profesión, escuela, partido, etc.». Los **sustantivos** formados con el tienen los dos **géneros**, femenino y masculino, lo único que variará será el **artículo.** Ejemplos: *El pianista-la pianista, el terrorista-la terrorista.*

J

JACTARSE

Debe evitarse la pronunciación vulgar **jaztarse*.

JUGAR

Verbo irregular.

INDICATIVO

Presente: *juego, juegas, juega, jugamos, jugáis, juegan.*

SUBJUNTIVO

Presente: *juegue, juegues, juegue, juguemos, juguéis, jueguen.*

IMPERATIVO

juega, juegue, jugad, jueguen.

JUGAR UN PAPEL

Es un **galicismo** que debemos evitar, dígase *desempeñar un papel*. Ejemplo: **Ha jugado un papel muy importante./Ha desempeñado.*

JUNTO CON

En esta construcción, el **verbo** sólo debe concertar con el sujeto. Ejemplos: **Yo, junto con otros tres, lo matamos./Yo, junto con otros tres, lo maté.*

L

LAÍSMO

Consiste en emplear *la* o *las*, formas del **pronombre** átono reservadas para el **complemento** directo femenino, como **complemento** indirecto femenino, en lugar de *le* o *les*. Ejemplo: **La dije/Le dije.*

LATENTE

Significa «que no se ve», «que no se manifiesta en forma externa», se confunde con *patente* «visible» o se usa con el significado impropio de «vivaz», «vigoroso», «intenso». Ejemplo: **El paro es un problema latente de la economía española/patente.*

LEER

Verbo irregular.

INDICATIVO

Pretérito perfecto: *leí, leíste, leyó, leímos, leísteis, leyeron.*

> ## SUBJUNTIVO
>
> **Pretérito imperfecto**: *leyera, leyeras, leyera, leyéramos, leyerais, leyeran* (o *leyese, leyeses*, etc.).
> **Futuro**: *leyere, leyeres, leyere, leyéremos, leyereis, leyeren.*
>
> ## FORMAS NO PERSONALES
>
> **Gerundio:** *leyendo.*

LEÍSMO

Consiste en utilizar *le* o *les*, formas del **complemento** indirecto masculino o femenino para el **complemento** directo masculino, en lugar de *lo* o *los*. Ejemplo: **Le tiré/Lo tire.*

La Real Academia admite su uso para referirse a personas, pero considera incorrecto su uso para referirse a cosas. Ejemplo: *Tiré un ladrillo./*Le tiré/Lo tiré.*

LIBIDO

Su acentuación es grave; es erróneo decir: **La líbido/La libido.*

LIDERAR

La Academia acepta *líder*, y sus derivados *liderato* y *liderazgo*. El **verbo** *liderar* se ha extendido con el significado de «dirigir», «encabezar», sería preferible la utilización de estos términos españoles.

LÍVIDO

Significa «amoratado», y es impropio su uso para significar «pálido», aunque la Academia ya acoge este sentido.

LOÍSMO

Es el empleo incorrecto de la forma *lo* o *los*, forma del **complemento** directo masculino, para el complemento **complemento** indirecto. Ejemplo: **Lo traje un recado/Le traje un recado.*

LUCIR

Verbo irregular.

INDICATIVO

Presente: *luzco, luces, luce, lucimos, lucís, lucen.*

SUBJUNTIVO

Presente: *luzca, luzcas, luzca, luzcamos, luzcáis, luzcan.*

IMPERATIVO

luce, luzca, lucid, luzcan.

M

MAILLOT

El término *maillot* ha sido recientemente aceptado por la Real Academia con el significado de «camiseta», traje de baño». Ejemplo: *El ciclista ganó el maillot amarillo.*

MALA CONCIENCIA

Es calco del francés, que debe evitarse; en su lugar usaremos el término español *remordimiento.*

MALDECIDO, MALDITO

Maldecido es **participio,** y se utiliza en la formación de los **tiempos** compuestos y de la **pasiva** del **verbo** maldecir. *Maldito* se emplea exclusivamente como **adjetivo.**

MALENTENDIDO

Es un **galicismo** aceptado por la Real Academia; debe escribirse junto y no separado: **Mal entendido;* su plural es *malentendidos.*

MARKETING

Mercadotecnia, que significa «técnica del mercadeo», es la palabra española que corresponde con la palabra inglesa *marketing*, aunque ésta ha sido recientemente aceptada por la Real Academia.

MAS

No se debe confundir *mas*, **conjunción** adversativa con más, **adverbio** de cantidad. Ejemplo: *Deseo más comida, mas no me la dan.*

MASACRAR

Es un **galicismo,** así como el sustantivo *masacre.* Úsense en su lugar los términos españoles: *aniquilar* y *matanza.*

MÁS MAYOR QUE Y MUY MAYOR

La forma *mayor* es un **comparativo**; por lo tanto, no debe aparecer acompañado de *más...que*, ni de *muy*. Son agramaticales formas como: **más mayor,* **muy mayor.*

Es frecuente el uso de frases como: **Tu hijo es más mayor que el mío,* **Este señor es muy mayor*, lo que quiere decir que *mayor* no se siente como **comparativo**, sino como un **adjetivo** en grado **positivo**, por lo que tiende a hacerse el **comparativo** con *más...que*, y el **superlativo** con *muy.*

Lo mismo ocurre con: **más mejor,* **más peor,* **muy mejor,* **muy peor.*

Véase MEJOR.

MASTER

Debe evitarse su uso; dígase: *curso de posgrado, curso para licenciados.*

MAYOR QUE

Es incorrecta la construcción *mayor a. Ejemplo: *El gasto no debería suponer una cantidad mayor a la calculada/mayor que.

MEDIA

Es impropio hablar de *los media* por *los medios de comunicación, de información.*

MEDIO AMBIENTE

Es una forma redundante de decir *medio* o *ambiente. Medio* significa «conjunto de circunstancias o condiciones exteriores en que vive alguien o algo».

MEJOR

Es el **comparativo** de *bien*; como **adverbio** es invariable, por tanto, es incorrecto decir: *Nuestras fuerzas son las mejores adiestradas del Oriente/son las mejor adiestradas.*
Es un vulgarismo utilizar *más mejor.*
Véase MÁS MAYOR QUE Y MUY MAYOR.

MÉXICO

Puede escribirse *Méjico* o *México*, pero siempre debe pronunciarse *Méjico.*

MITAD

Esta forma concuerda con el verbo tanto en singular como en plural. Ejemplos: *La mitad se quedó. La mitad se quedaron.*

MODISTA

Es un término femenino y masculino, como *pianista*, por ejemplo. La Academia acepta el masculino, muy extendido: *El modisto, el modista*.
Véase -ISTA.

MORIR

Verbo irregular.

FORMAS NO PERSONALES

Participio: *muerto*

Se conjuga como *dormir*, excepto el **participio**.
El **verbo** morir es intransitivo, no debe usarse como transitivo. Ejemplo: **Los terroristas han muerto a tiros a un coronel*. Aún es más frecuente su transitivación en la **voz pasiva:** **Un coronel fue muerto a tiros por los terroristas*.
Véase TRANSITIVACIONES.

MOVER

Verbo irregular.

INDICATIVO

Presente: *muevo, mueves, mueve, movemos, movéis, mueven*.

SUBJUNTIVO

Presente: *mueva, muevas, mueva, movamos, mováis, muevan.*

IMPERATIVO

mueve, mueva, moved, muevan.

MULLIR

Verbo irregular.

INDICATIVO

Pretérito perfecto: *mullí, mulliste, mulló, mullimos, mullisteis, mulleron.*

SUBJUNTIVO

Pretérito imperfecto: *mullera, mulleras, mullera, mulléramos, mullerais, mulleran* (o *mullese, mulleses,* etc.).
Futuro: *mullere, mulleres, mullere, mulléremos, mullereis, mulleren.*

FORMAS NO PERSONALES

Gerundio: *mullendo.*

N

NADA

Cuando funciona como **adverbio**, con el significado de «de ninguna manera» no puede haber ninguna **preposición** entre él y el término modificado. Ejemplo: *No me llevo nada de bien con Juan/nada bien.*

NIMIO

Su primer significado es «excesivo», pero el uso corriente le atribuye un sentido casi opuesto de «pequeño, minúsculo». La Academia da por buenos ambos significados.

NINGUNO

Si va colocado detrás del **verbo**, es necesario anteponer a este una **negación**; si va colocado delante, no. Ejemplos: *No he visto a ninguno. Ninguno me ha visto.*

Si lleva un **complemento**, la concordancia con el **verbo** puede ir en plural o en singular. Ejemplos: *Ninguno de nosotros lo sabe. Ninguno de nosotros lo sabemos.*

Si ese **complemento** no aparece, pero está implícito, la **con-**

cordancia irá en plural. Ejemplo: *Ninguno comprendíamos lo que pasaba.*

NO, -IN

En la lengua técnica ha entrado en competencia la negación *no* con el **prefijo** *in-* negativo; así, se generalizan la *no posibilidad*, por la *imposibilidad*; la *no coincidencia* por la *diferencia.*

Nombre + a + infinitivo

Se trata de un **galicismo** que debe evitarse; es muy frecuente oír frases como: **el problema a resolver*, en lugar de *el problema que hay que resolver.* La Academia lo tolera para usos bancarios, comerciales y administrativos: *total a pagar, efectos a cobrar, cantidades a deducir, asuntos a trabajar,* pero lo censura en los demás casos.

NOMINAR

Significa «nombrar», es **anglicismo** usarlo con el sentido de «proponer como candidato»: **La película ha sido nominada para el Oscar.* Igualmente válido para *nominación* usado en el sentido de «candidatura o propuesta para candidato».

NÚMEROS

Algunas observaciones:

— *Uno,* cuando precede a un **sustantivo** masculino, y *ciento,* cuando precede a un **sustantivo** cualquiera y a *mil, millón,* etc., toman la forma *un, cien.* Ejemplos: *Un libro. Cien hombres. Cien mil soldados.*

— Los **cardinales** entre *veinte* y *treinta* tienen la forma:
  veintiuno, veintidós, etc., y no: **ventiuno, *ventidós.* A
  partir de *treinta,* hasta *cien,* se escriben separados:
  treinta y uno, cuarenta y dos, etcétera.

— Los **ordinales** correspondientes a *once* y *doce* son: *undécimo* y *duodécimo,* y no **decimoprimero* ni **decimosegun-
  do.* A partir del número *trece* se forman con *décimo-:*
  decimotercero, decimocuarto, etc.; con *vigésimo-, trigésimo-,*
  etcétera: *vigésimo primero, trigésimo segundo.*

— La terminación -*avo* no indica orden de secuencia, sino
  las partes en las que se divide la unidad. Luego es
  erróneo decir: **Llegó el dieciseisavo/decimosexto.*

O

O

Esta **conjunción** toma la forma *u* cuando va delante de una palabra que empiece con la letra *o*. Ejemplos: *Siete u ocho. Uno u otro.*

Llevará **acento** ortográfico cuando vaya entre cifras para distinguirla del cero. Ejemplo: *1 ó 2.*

OBSCURO

Esta palabra, y todas las de su familia: *obscuridad, obscurecer,* etc., son igualmente correctas escritas con *-bs-* o con *-s-*. La Real Academia admite las dos grafías: *oscuro, obscuro,* etc., aunque prefiere la primera.

OFERTAR

Significa «ofrecer en venta un producto»; no debe usarse con el sentido de «ofrecer». Ejemplo: **El Ayuntamiento oferta dos plazas de conserje/ofrece.*

OÍR

Verbo irregular.

INDICATIVO

Presente: *oigo, oyes, oye, oímos, oís, oyen.*
Pretérito perfecto: *oí, oíste, oyó, oímos, oísteis, oyeron.*

SUBJUNTIVO

Presente: *oiga, oigas, oiga, oigamos, oigáis, oigan.*
Pretérito imperfecto: *oyera, oyeras, oyera, oyéramos, oyerais, oyeran* (u *oyese, oyeses,* etc.).
Futuro: *oyere, oyeres, oyere, oyéremos, oyereis, oyeren.*

IMPERATIVO

oye, oiga, oíd, oigan.

FORMAS NO PERSONALES

Gerundio: *oyendo.*

OLER

Verbo irregular.

INDICATIVO

Presente: *huelo, hueles, huele, olemos, oléis, huelen.*

SUBJUNTIVO

Presente: *huela, huelas, huela, olamos, oláis, huelan.*

IMPERATIVO

huele, huela, oled, huelan.

OLVIDAR

Como reflexivo, lleva la **preposición** *de: Olvidarse de algo.* Ejemplo: **Me olvidé que venías/de que venías.* Como transitivo, no la lleva: *Olvidar algo.* Ejemplo: **Olvidé de que venías/que venías.* Véase DEQUEÍSMO.

Orden en la colocación de los pronombres átonos

Algunas observaciones:

— Con el **gerundio**, el **imperativo** y el **infinitivo** se colocan detrás del **verbo**: *diciéndolo, dámelo, observarnos.*

— En **tiempos compuestos** se colocan detrás del auxiliar: *habiéndome dado, haberos comprendido.*

— Cuando están subordinados a otro **verbo** principal, puede el **pronombre** pasar al principal: *quieren molestarte* o *te quieren molestar; iban diciéndolo, lo iban diciendo.*

— Con el **verbo** en **indicativo, subjuntivo** o **potencial,** pueden ir antes o después, aunque lo mas usual es colocarlos delante: *Lo dije, lo diría, que lo dijese o díjelo, diríalo, dijéselo.*

— Los **pronombres** átonos que se coloquen antes o después del **verbo** llevan el siguiente orden:

    • Cuando hay varios, la forma *se* precede a todos

ellos; el de segunda persona va siempre delante del de primera, y estos dos últimos siempre delante del de tercera, que será el último.

Es incorrecto: *Me se cae la capa/Se me cae la capa. *Te se ve la camisa/Se te ve la camisa.

OSTENTAR

Significa «hacer ostentación», «mostrar o hacer patente una cosa»; se usa impropiamente en el sentido de «desempeñar», «ejercer un cargo». Ejemplo: *Ostento el cargo de ministro./Ejerzo.

P

PARA QUE NO

Se da una presencia anormal del **adverbio** *no* con *para*: *Poco faltó para que no nos matáramos/para que nos matáramos.*

Esto sucede cuando el **verbo** principal va acompañado de una negación, entonces se introduce un *no* que carece de significado negativo.

PARKING

No es necesario el uso de este término inglés, pues tenemos en español el término *aparcamiento.*

PARTE

Puede concordar en singular o en plural. Ejemplos: *Parte de la gente salió. Parte de la gente salieron.*

Participio

Cuando el **participio** se usa para formar tiempos compuestos, es invariable: *Él ha hecho, ella ha hecho;* pero usado como

adjetivo o **atributo**, concuerda con el **nombre:** *Las cosas bien hechas.*

Con **verbos** como: *tener, llevar, dejar,* etc., siempre concuerda con el **nombre**: *Tengo resueltos todos mis problemas. Llevo escritas cuatro cartas. La dejó hecha un mar de lágrimas.*

Participios fuertes y débiles

Hay **participios** irregulares que coexisten con los **regulares**: *tinto-teñido, corrupto-corrompido;* usualmente, los **irregulares** se usan como **adjetivos**: *un vino tinto, un político corrupto;* algunos también como **nombres**: *dame un tinto;* mientras que los regulares se emplean como participios o como adjetivos: *he teñido la blusa, una blusa teñida.*

Algunos casos: *abstracto-abstraído, atento-atendido, bendito-bendecido, confuso-confundido, corrupto-corrompido, despierto-despertado, frito-freído, harto-hartado, impreso imprimido, manifiesto-manifestado, provisto-proveído, suelto-soltado, sujeto-sujetado, suspenso-suspendido.*

Pasiva ESTAR SIENDO + Participio

Esta construcción es un calco del inglés, que debe evitarse. Es incorrecto decir: **El trabajo está siendo elaborado por los alumnos. *Los alumnos están siendo sometidos a una prueba.*

La Academia aconseja sustituir esta construcción por la **voz activa** correspondiente: *Los alumnos están elaborando el trabajo,* o por la forma **impersonal**: *Se está sometiendo a los alumnos a una prueba.*

PATENTE

Véase LATENTE.

PEOR

Es el **comparativo** de *mal;* como **adverbio**, es invariable,

por tanto, es incorrecto decir: *Tus hijas son las peores educadas/son las peor educadas.
Es un vulgarismo utilizar *más peor*.
Véase MÁS MAYOR QUE Y MUY MAYOR.

PEOR QUE

La construcción de *peor* es con *que* y no con *a*. Es erróneo decir: *La situación de hoy es peor a la de mañana/que la de mañana.

PERJUICIO, PREJUICIO

Es habitual confundir estos términos. *Perjuicio* significa «daño», mientras que *prejuicio* significa «opinión que se tiene de algo antes de tener un verdadero conocimiento de ello». Ejemplo: *Me ha causado un gran prejuicio/un gran perjuicio.

PERSONAL

Usado como **nombre** significa «el conjunto de personas que pertenecen a una dependencia». Se usa habitualmente con el sentido impropio de «gente», esto es un vulgarismo. Ejemplo: *Estaba todo el personal en el concierto./Toda la gente.

PIFIA

Significa «error», «mala jugada». Es un vulgarismo decir *picia, en lugar de *pifia*. Ejemplo: *Me hizo una picia/pifia.

PIRENAICO

Significa «de los Pirineos»; es erróneo decir *pirinaico* por *pirenaico*.

PLURAL

El plural se forma, siguiendo la norma general, añadiendo una -s a las palabras acabadas en vocal: *casas, niños*, y la sílaba -es a las acabadas en vocal acentuada: *rubíes*, o en consonante: *camiones*.

Algunas observaciones:

— Hay palabras con forma única para el singular y el plural. Terminadas en -s, -x: *el lunes, los lunes; la crisis, las crisis; el tórax, los tórax*, etcétera.

— Hay palabras terminadas en -ú, -í acentuadas que admiten un doble plural: *esquís-esquíes, tabús-tabúes*, etcétera.

— Las palabras compuestas generalmente añaden una s al segundo componente del término: *padrenuestros*, pero no varían si el último término es un **verbo**: *hazmerreír*.

Excepciones son:

• *Cualquiera*, que hace su plural: *cualesquiera*. Ejemplo: **Cualquiera que sean las razones/Cualesquiera que sean las razones*.

• *Quienquiera*, que hace su plural: *quienesquiera*. Ejemplo: **Pase quienquiera que sean/Pase quienesquiera que sean*.

— La penetración de numerosos extranjerismos obliga a formar un tipo de plural terminado en *consonante* + s: *clubs, Soviets, accésits*, aunque otras veces se oyen formaciones adaptadas a la fonética española: *Sovies, accesis*, o se crean plurales análogicos: *clubes*.

POCO

Un poco lleva la **preposición** *de* cuando lo que le sigue no es numerable, contable: *un poco de pan, un poco de harina.* Va sin **preposición** y concierta en **género** y **número** con lo que le sigue cuando es contable: *unas pocas personas, unas pocas pesetas.*

Es incorrecto decir: **un poco pan, *una poca harina, *unas pocas de personas, *un poco de personas, *un poco de pesetas, unas pocas de pesetas.*

PODER

Verbo irregular.

INDICATIVO

Presente: *puedo, puedes, puede, podemos, podéis, pueden.*
Pretérito perfecto: *pude, pudiste, pudo, pudimos, pudisteis, pudieron.*
Futuro: *podré, podrás, podrá, podremos, podréis, podrán.*
Potencial simple: *podría, podrías, podría, podríamos, podríais, podrían.*

SUBJUNTIVO

Presente: *pueda, puedas, pueda, podamos, podáis, puedan.*
Pretérito imperfecto: *pudiera, pudieras, pudiera, pudiéramos, pudierais, pudieran* (o *pudiese, pudieses,* etc.).
Futuro: *pudiere, pudierse, pudiere, pudiéremos, pudiereis, pudieren.*

FORMAS NO PERSONALES

Gerundio: *pudiendo.*

PODRIR

Véase PUDRIR.

PONER

Verbo irregular.

INDICATIVO

Presente: *pongo, pones, pone, ponemos, ponéis, ponen.*
Pretérito perfecto: *puse, pusiste, puso, pusimos, pusisteis, pusieron.*
Futuro: *pondré, pondrás, pondrá, pondremos, pondréis, pondrán.*
Potencial simple: *pondría, pondrías, pondría, pondríamos, pondríais, pondrían.*

SUBJUNTIVO

Presente: *ponga, pongas, ponga, pongamos, pongáis, pongan.*
Pretérito imperfecto: *pusiera, pusieras, pusiera, pusiéramos, pusierais, pusieran* (o *pusiese, pusieses*, etc.)
Futuro: *pusiere, pusieres, pusiere, pusiéremos, pusiereis, pusieren.*

IMPERATIVO

pon, ponga, poned, pongan.

FORMAS NO PERSONALES

Participio: *puesto.*

POR CONTRA

Es un **galicismo** que no debe usarse; es aconsejable susti-
tuirlo por otras expresiones como: *por el contrario, en cambio.*

PORQUE, POR QUE

Se produce confusión porque se cruzan distintas estructuras.

— *Porqué,* **sustantivo,** se escribe junto y acentuado, significa «causa», «motivo». Ejemplo: *Te diré el porqué.*
— Porque, **conjunción** causal, se escribe junto y sin acentuar. Ejemplo: *Hablo porque tengo ganas. No estudia porque le duele la cabeza.* **Conjunción** final: *Me afano porque
adelantes.*
— Por qué, **preposición** y **pronombre** o **adjetivo interrogativo,** se escribe separado y acentuado. Ejemplo: *¿Por
qué te fuiste?*
— *Por que,* **preposición** y **pronombre relativo,** se escribe
separado y sin acentuar, equivale a *por el cual, por el
que,* etc. Ejemplo: *El asunto por que me intereso.*

Después del interrogativo *¿por qué?* (separadas las dos palabras) viene el correlativo causal porque (en una palabra): *¿Por qué
dudas? Porque no estoy muy seguro.*

Posesivos incorrectos

Es el empleo de formas pronominales posesivas en lugar
de un **pronombre** personal precedido de **preposición.**
Ejemplos: **detrás nuestro/detrás de nosotros, *delante su-
yo/delante de él, *enfrente tuyo/enfrente de ti, *por encima mío/por
encima de mí, *por debajo nuestro/por debajo de nosotros,* etc.
Se admiten las dos formas en: *al lado mío-al lado de mí y de
parte mía-de parte de mí.*
Son incoherentes expresiones como: **nos salimos con la
suya/con la nuestra. *Me ha costado lo suyo/lo mío.*

POSTER

Es innecesario el uso de este termino inglés, pues tenemos en español la palabra *cartel.*

PREDECIR

Verbo irregular. Se conjuga igual que *decir,* excepto los siguientes tiempos.

INDICATIVO

Futuro: *predeciré, predecirás, predecirá, predeciremos, prede-ciréis, predecirán* (o *prediré, predirás, predirá, prediremos, predireís, predirán*).

Potencial simple: *predeciría, predecirías, predeciría, prede-ciríamos, predeciríais, predecirían* (o *prediría, predirías, prediría, prediríamos, prediríais, predirían*).

IMPERATIVO

predice, prediga, predecid, predigan.

PREFERIR

La construcción *es preferir una cosa a otra.* Es incorrecto decir: **Prefiero ceder que morir/Prefiero ceder a morir.*

Pretérito perfecto y pretérito indefinido

El pretérito indefinido expresa una acción pasada que se considera terminada, mientras el **pretérito perfecto** expresa una acción pasada que se acaba de producir en el momento en el que hablamos o que, de algún modo, está en relación con este momento presente. El uso de uno u otro tiempo depende del punto de vista del hablante; si éste considera que lo que enuncia ya ha acabado y no tiene relación con su presente, utilizará el **indefinido**; si considera que el enunciado afecta aún a su presente, utilizará el **perfecto**.

Si se precisa el día en que ocurrió un hecho pasado, no debe utilizarse el **pretérito perfecto**: **ha aprobado ayer*, sino el **indefinido**: *aprobó ayer*.

PREVER

Su significado es «ver con anticipación», «conjeturar»; debe evitarse usarlo con el sentido impropio de *prevenir*, que significa «preparar», «precaver».

Por analogía con *proveer*, se dice erróneamente: **preveer* y se conjuga este **verbo** como *leer*, en lugar de conjugarlo correctamente como ver. Ejemplos: **Preveyera/previera. *Preveímos/previmos*.

Pronombres

Algunas observaciones:

— *Usted, ustedes* son **pronombres** de segunda persona usados por cortesía; el **verbo** debe estar en tercera persona.

— *Lo, los, la, las* son siempre **complemento** directo; *me, te, nos, os, le* y *se* reflexivo pueden ser directos o indirectos. *Les* es siempre indirecto.

— *Se* puede ser, además, marca de **pasiva** o **sujeto** de la **impersonal**.

Véase ORDEN DE LOS PRONOMBRES ÁTONOS.
Véase LAÍSMO, LEÍSMO Y LOÍSMO.

PROVEER

Verbo irregular. Se conjuga igual que *leer*, excepto su **participio.**

FORMAS NO PERSONALES

Participio: *provisto* (o *proveído*).

PROVENIENTE

Significa «que proviene»; son erróneas las formas: **proviniente, *provinente/proveniente.*

PSICOLOGÍA, PSIQUIATRÍA

La Academia acepta para estas palabra y otras de su familia las dos grafías *ps-* y *s-*, aunque prefiere la primera; ambas son correctas: *psicología-sicología, psicólogo-sicólogo, psiquiatra siquiatra.*

La Academia acepta que algunas palabras simplifiquen el grupo *-pt-* en *-p-*. Ejemplos: *septiembre/setiembre. Séptimo/sétimo.*
Véase DIOPTRÍA, SEPTIEMBRE y SÉPTIMO.
Debe evitarse la pronunciación vulgar /-zt-/. Ejemplos: **Adaztar/adaptar. *Óztica/óptica.*

PUDRIR

FORMAS NO PERSONALES

Infinitivo: *pudrir o podrir.* **Participio:** *podrido.*

Las demás formas del **verbo** se conjugan con *u* en la raíz.
Ejemplos: *pudre, pudría, pudra, pudrió, pudriendo,* etc.

PUNTUAL

No debe utilizarse *puntual* con el significado de «concreto».
Ejemplo: **Trataremos temas puntuales/temas concretos.*

Q

QUE, QUIEN

Que va extendiendo su campo semántico y cubriendo el de *quien: aquel hombre que vi/aquel hombre a quien vi.*

Es anormal el uso de *quien* en **proposición adjetiva especificativa** con antecedente explícito donde debería ponerse *que:* *No hace caso de lo que le dicen aquellos quienes le quieren/que le quieren.*

QUE Y LO QUE

Con el **infinitivo** sólo es posible el interrogativo *qué* y no la forma relativa *lo que.* Ejemplo: *No sé lo que decirte/No sé qué decirte.* Sin embargo, en otros casos son equivalentes: *No sé lo que me dirán, No sé qué me dirán.*

QUEDAR

Es vulgarismo usarlo con el significado de «dejar». Ejemplo: *Alguien se quedó el bolígrafo en casa.*

QUEDAR EN

La costrucción es *quedar en*; es incorrecto decir: **Quedo de venir/Quedo en venir.*

QUEDARSE

Es un **verbo** intransitivo; es incorrecta su transitivación con el significado de «guardar», «retener». Ejemplos: **Me quedo el libro/con el libro. *Quédatelo/ Quédate con ello, con él.*

QUERER

Verbo irregular.

INDICATIVO

Presente: *quiero, quieres, quiere, queremos, queréis, quieren.*
Pretérito perfecto: *quise, quisiste, quiso, quisimos, quisisteis, quisieron.*
Futuro: *querré, querrás, querrá, querremos, querréis, querrán.*
Potencial simple: *querría, querrías, querría, querríamos, querríais, querrían.*

SUBJUNTIVO

Presente: *quiera, quieras, quiera, queramos, queráis, quieran.*
Pretérito imperfecto: *quisiera, quisieras, quisiera, quisiéramos, quisierais, quisieran* (o *quisiese, quisieses*, etc.).
Futuro: *quisiere, quisieres, quisiere, quisiéramos, quisiereis, quisieren.*

IMPERATIVO

quiere, quiera, quered, quieran.

QUESUISMO

En la actualidad, en lugar del uso del **adjetivo relativo** posesivo *cuyo* se emplea un incorrecto *que su.* Ejemplos: **He visto al chico que su padre me saludó/cuyo padre. *Que salgan los alumnos que sus padres esperan/cuyos padres.*

Sin embargo, no debe emplearse *cuyo* cuando no tiene valor posesivo.

Son incorrectos: **Fue un regalo que me hizo mi padre, cuyo regalo siempre recordaré/y que siempre recordaré.*

Tampoco parece correcto el uso de *cuyo* en construcciones del tipo *en cuyo caso, con cuyo objeto,* aunque hay que reconocer que son de uso común.

Lo correcto son expresiones del tipo: *En ese caso, en tal caso, con tal objeto.*

Véase CUYO.

QUIEN

Su **género** es invariable, pero su plural es *quienes,* y debe concordar; es incorrecto: **No podemos decir quien somos/quienes.*

Siempre se aplica a personas; por tanto, es incorrecto su uso referido a cosas: **Es este hecho quien me ha hecho reflexionar/el que.*

QUIZÁ

La Academia acepta dos formas *quizá* y *quizás,* aunque prefiere la primera.

R

RAER

Verbo irregular.

INDICATIVO

Presente: *raigo* (o *rayo*), *raes, rae, raemos, raéis, raen.*
Pretérito perfecto: *raí, raíste, rayo, raímos, raísteis, rayeron.*

SUBJUNTIVO

Presente: *raiga, raigas, raiga, raigamos, raigais, raigan* (o
raya, rayas, etc.)
Pretérito imperfecto: *rayera, rayeras, rayera, rayéramos,
rayerais, rayeran* (o *rayese, rayeses,* etc.).
Futuro: *rayere, rayeres, rayere, rayéremos, rayereis,* «*rayeren.*

IMPERATIVO

rae, raiga (o *raya*), *raed, raigan* (o *rayan).*

FORMAS NO PERSONALES
Gerundio: *rayendo.*

RANKING

El uso de este término inglés no es necesario para significar «una relación de elementos por orden de mayor a menor»; úsese en su lugar *tabla clasificatoria, lista,* etcétera.

RÉGIMEN

Su plural es *regímenes,* con traslación del acento, y no **régimenes.*

REÍR

Verbo irregular.

INDICATIVO

Presente: *río, ríes, ríe, reímos, reís, ríen.*
Pretérito perfecto: reí, *reíste, rió, reímos, reísteis, rieron.*

SUBJUNTIVO

Presente: *ría, rías, ría, riamos, riáis, rían.*
Pretérito imperfecto: *riera, rieras, riera, riéramos, rierais, rieran* (o *riese, rieses,* etc.)
Futuro: *riere, rieres, riere, riéremos, riereis, rieren.*

IMPERATIVO

ríe, ría, reid, rían.

FORMAS NO PERSONALES

Gerundio: *riendo.*

REMARCABLE

Es un **galicismo**, utilizado en lugar de *notable*, que debe evitarse. Ejemplo: **Es un hecho remarcable/notable.*

Lo mismo ocurre con el **verbo** *remarcar.* Ejemplo: **No nos cansamos de remarcar.../de hacer notar.*

REÑIR

Verbo irregular.

INDICATIVO

Presente: *riño, riñes, riñe, reñimos, reñís, riñen.*

Pretérito perfecto: *reñí, reñiste, riñó, reñimos, reñisteis, riñeron.*

SUBJUNTIVO

Presente: *riña, riñas, riña, riñamos, riñáis, riñan.*

Pretérito imperfecto: *riñera, riñeras, riñera, riñéramos, riñerais, riñeran* (o *riñese, riñeses,* etc.).

Futuro: *riñere, riñeres, riñere, riñéremos, riñereis,* riñeren.

IMPERATIVO

riñe, riña, renid, riñan.

FORMAS NO PERSONALES

Gerundio: *riñendo.*

REPERCUTIR

Significa «trascender», «causar efecto» y es intransitivo; es erróneo su uso como transitivo: *Los gastos deben ser repercutidos en los precios.*
Véase TRANSITIVACIONES.

RESTO

Puede concordar con el verbo en singular o en plural. Ejemplos: *El resto de la gente se marchó. El resto de la gente se marcharon.*

REVERSO

Véase ANVERSO.

ROER

Verbo irregular.

INDICATIVO

Presente: *roo (o roigo, o royo), roes, roe, roemos, roéis, roen.*

SUBJUNTIVO

Presente: *roa, roas, roa, roamos, roáis, roan (o roiga, roigas,* etc., *o roya, royas,* etc.).
Pretérito imperfecto: *royera, royeras, royera, royéramos, royerais, royeran (o royere, royeses,* etc.).
Futuro: *royere, royeres, royere, royéremos, royereis, royeren.*

IMPERATIVO

roe, roa (o *roiga,* o *roya*), *roed, roan* (o *roigan,* o *royan*).

FORMAS NO PERSONALES

Gerundio: *royendo.*

ROMPER

Verbo irregular.

FORMAS NO PERSONALES

Participio: *roto.*

Ruptura de concordancia

Algunas observaciones:

— El **sujeto** y el **verbo** deben concordar en **número** y **género.**
Ejemplos: **Un grupo de personas se reunieron/Un grupo de personas se reunió. *El 60 % de los españoles opinan/El 60 % de los españoles opina.*

— Las cifras deben concordar en plural: *Un millón de personas* opinan

— Los **ordinales** llevarán el **género** de su antecedente: *éstas son las conclusiones *primero...*segundo... /primera... segunda...*

Véase CONCORDANCIA.

S

SABER

Verbo irregular.

INDICATIVO

Presente: *sé, sabes, sabe, sabemos, sabéis, saben.*
Pretérito perfecto: *supe, supiste, supo, supimos, supisteis, supieron.*
Futuro: *sabré, sabrás, sabrá, sabremos, sabréis, sabrán.*
Potencial simple: *sabría, sabrías, sabría, sabríamos, sabríais, sabrían.*

SUBJUNTIVO

Presente: *sepa, sepas, sepa, sepamos, sepáis, sepan*
Pretérito imperfecto: *supiera, supieras, supiera, supiéramos, supierais, supieran (o supiese, supieses,* etc.).
Futuro: *supiere, supieres, supiere, supiéremos, supiereis, supieren.*

IMPERATIVO

sabe, sepa, sabed, sepan.

SALIR

Verbo irregular.

INDICATIVO

Presente: *salgo, sales, sale, salimos, salís, salen.*
Futuro: *saldré, saldrás, saldrá, saldremos, saldréis, saldrán.*
Potencial simple: *saldría, saldrías, saldría, saldríamos, saldríais, saldrían.*

SUBJUNTIVO

Presente: *salga, salgas, salga, salgamos, salgáis, salgan.*

IMPERATIVO

sal, salga, salid, salgan.

SATISFACER

Verbo irregular. Se conjuga igual que *hacer*, excepto en **imperativo**.

IMPERATIVO

satisface (o *satisfaz*)*, satisfaga, satisfaced, satisfagan.*

Deben evitarse las formas vulgares: **Satisfacieron/Satisficieron. *Satisfaciera/Satisficiera. *Satisfacería/Satisfaría.*

SE IMPERSONAL, SE PASIVA

Se confunden estas dos construcciones a menudo. La construcción **impersonal,** cuando se hace referencia a personas o no se hace referencia a cualquier objeto de la acción, está en tercera persona del singular y lo que le sigue es el **complemento** directo; este no tiene que concertar ni con el **verbo** ni con el **sujeto.**
La construcción **pasiva,** que hace referencia a cosas o acciones, va seguida del **sujeto,** y el **verbo** debe concertar con éste.

Ejemplos:

Impersonal: *Se respeta a los niños/*Se respetan a los niños.*
Pasiva: *Se esperan chubascos/*se espera chubascos. Se vendió la casa. Se vendían botellas.*

-SE, -SEN

Cuando el **pronombre** *se* va unido al **verbo** en la tercera persona del plural, toma, por analogía con la terminación del **verbo,** una *-n* final, que es incorrecta. Ejemplo: *Siéntense/*siéntensen, *Siéntesen*

SELLO

Es **anglicismo** utilizar *sello* en lugar de *marca* o *firma.* Ejemplo: **El sello discográfico.*

SENDOS

Significa «uno cada uno»; no debe usarse en el sentido impropio de «grandes». Ejemplo: **Bebió sendos tragos de vino.* Ni tampoco en el sentido de «ambos»: **Ayer se cometieron dos atracos en lugares distintos, sendos atracos...*

SENTIR

Verbo *irregular.*

INDICATIVO

Presente: *siento, sientes, siente, sentimos, sentís, sienten.*
Pretérito perfecto: *sentí, sentiste, sintió, sentimos, sentisteis, sintieron.*

SUBJUNTIVO

Presente: *sienta, sientas, sienta, sintamos, sintáis, sientan.*
Pretérito: *sintiera, sintieras, sintiera, sintiéramos, sintierais, sintieran* (o *sintiese, sintieses,* etc.).
Futuro: *sintiere, sintieres, sintiere, sintiéremos, sintiereis, sintieren.*

IMPERATIVO

siente, sienta, sentid, sientan.

FORMAS NO PERSONALES

Gerundio: *sintiendo.*

SEPTIEMBRE

La Academia acepta *septiembre* y *setiembre,* aunque prefiere la primera.

SÉPTIMO

La Academia acepta *séptimo* y *sétimo,* aunque prefiere la primera.

SER

Verbo irregular.

INDICATIVO

Presente: *soy, eres, es, somos, sois, son.*
Pretérito imperfecto: *era, eras, era, éramos, erais, eran.*
Pretérito perfecto: *fui, fuiste, fue, fuimos, fuisteis, fueron.*

SUBJUNTIVO

Presente: *sea, seas, sea, seamos, seáis, sean.*
Pretérito imperfecto: *fuera, fueras, fuera, fuéramos, fuerais, fueran* (o *fuese, fueses,* etc.).
Futuro: *fuere, fueres, fuere, fuéremos, fuereis, fueren.*

IMPERATIVO

sé, sea, sed, sean.

SER Y ESTAR

En las oraciones atributivas, cuando la cualidad expresada por el **adjetivo** es considerada por nosotros como el resultado de una acción, transformación o cambio real o posible, debemos usar el **verbo** *estar;* en los demás casos, en que no vemos más que la mera cualidad exenta de toda idea de cambio, el **verbo** es *ser.*

SER + Predicativo

Las construcciones del tipo: *es evidente, es necesario, es posible,* etc., no son invariables y se construyen siguiendo el esquema: *ser + predicativo + sujeto*. Siguiendo la norma general, el **predicativo** concierta en **género** y **número** con el **sujeto,** y este en **número** con el **verbo;** por tanto, es erróneo decir: **Es necesario una política adecuada/Es necesaria. *Es de temer chubascos/Son de temer.*

Si el **sujeto** es una **proposición** de **infinitivo** o *que + subjuntivo o indicativo*, el **verbo** irá en **singular** y el **predicado** en **masculino singular.** Ejemplos: *Es falso que hayan salido. Es necesario hacer el bien.*

SEVERO

Es **anglicismo** usarlo en el sentido impropio de «grave». Ejemplo: **El ejército sufrió severas pérdidas/graves pérdidas.*

SIN EMBARGO, EN CAMBIO

No deben confundirse, ambas expresan oposición, pero mientras *sin embargo* expresa una oposición parcial, *en cambio* significa una oposición total. Es incorrecto usar una en lugar de de la otra. Ejemplo: **Yo comí carne. Él, sin embargo, comió pescado/en cambio.*

SINO, SI NO

No debe confundirse *sino*, **conjunción** adversativa: *no vino él, sino su padre*, con *si no*, **conjunción** condicional y **adverbio** de negación: *Me marcho si no viene pronto.*

SOLO

El **acento** ortográfico de *sólo* **adverbio** no es obligatorio, la

Academia aconseja ponerlo en casos en los que se produzca ambigüedad. Ejemplo: *Estoy solo por las tardes*, que puede significar «en soledad» o «solamente», en estos casos es aconsejable su acentuación si es **adverbio**.

SOLO HACE QUE

Las expresiones como: *sólo hace que* o *sólo hizo que* + *infinitivo* son vulgares. Ejemplo: **Sólo hizo que lamentarse de su mala suerte/No hizo más que*.

STANDING

Debe evitarse el uso de este término inglés en lugar de *representación, categoría* o *nivel*. Ejemplo: **Pisos y oficinas de alto standing*.

STATUS

No es necesario el uso de este término inglés, pues tenemos en español términos como *estado, situación, posición*: **El status social/La posición social*.

-STE, -STES

La terminación de la segunda persona del singular: *-ste*, del **Pretérito perfecto de indicativo** se hace *-stes*, por analogía con otros tiempos que la llevan: **estuvistes/estuviste, *vistes/viste*.

SUJECIÓN

Es errónea la pronunciación **sujección* en lugar de *sujeción*.

SUPERIOR A

La costrucción comparativa para expresar la superioridad es *superior a*. Es incorrecto decir: **Esto es superior que eso/Esto es superior a eso.*
Véase IGUAL QUE e INFERIOR A.

SUPERLATIVO

Un **adjetivo** no puede llevar *muy* con un **superlativo** absoluto: **muy altísimo, *muy superior.*

SUSPENDER

Es un **verbo** sólo transitivo; es incorrecto su uso como intransitivo.
Ejemplo: *El profesor suspende a un alumno. *El alumno suspende.*
Véase TRANSITIVACIONES.

Sustantivos femeninos que empiezan con a o ha tónicas

Los **sustantivos** femeninos que comienzan con *a-* o *ha* acentuadas van precedidos por los **determinantes:** *el, un, algún, ningún,* que coinciden con las formas masculinas, y *esta, esa* y *aquella,* que son formas femeninas. Son errores frecuentes: **Este arma/Esta arma, *Aquel agua/Aquella agua, *Ninguna aula/Ningún aula.*

Observaciones:

En plural se usan siempre los determinantes femeninos.
Los predeterminantes siempre irán en forma femenina: **Todo el agua/Toda el agua.*

Como excepción: *La hache,* para la letra del alfabeto.

T

TAÑER

Verbo irregular.

INDICATIVO

Pretérito: *tañí, tañiste, tañió, tañimos, tañisteis, tañeron.*
Pretérito imperfecto: *tañera, tañeras, tañera, tañéramos, tañerais, tañeran* (o *tañese, tañeses,* etc.).

SUBJUNTIVO

Futuro: *tañere, tañeres, tañere, tañéremos, tañereis, tañeren.*

FORMAS NO PERSONALES

Gerundio: *tañendo.*

TAXI

Es vulgarismo usar **taxis* por *taxi.*

TEMA

Significa «asunto», «meollo de una conversación, escrito...», es abusivo y debe evitarse usarlo en el sentido de *asunto*, que tiene un significado mucho más general. Ejemplos: *No sé nada sobre ese tema/ese asunto. El tema de la reunión fue la subida de los precios.*

TENER

Verbo irregular.

INDICATIVO

Presente: *tengo, tienes, tiene, tenemos, tenéis, tienen.*
Pretérito perfecto: *tuve, tuviste, tuvo, tuvimos, tuvisteis, tuvieron.*
Futuro: *tendré, tendrás, tendrá, tendremos, tendréis, tendrán.*
Potencial simple: *tendría, tendrías, tendría, tendríamos, tendríais, tendrían.*

SUBJUNTIVO

Presente: *tenga, tengas, tenga, tengamos, tengáis, tengan.*
Pretérito imperfecto: *tuviera, tuvieras, tuviera, tuviéramos, tuvierais, tuvieran (o tuviese, tuvieses, etc.).*
Futuro: *tuviere, tuvieres, tuviere, tuviéremos, tuviereis, tuvieren.*

IMPERATIVO

ten, tenga, tened, tengan.

TERCIO

El término *tercio* y otros similares concuerdan con el verbo en singular y en plural. Ejemplos: *Un tercio de las personas se quedó. Un tercio de las personas se quedaron.*

TOTALIDAD

Concuerda con el verbo en singular. Ejemplo: **Han sido recuperados la totalidad de los cadáveres/Ha sido recuperada la totalidad de los cadáveres.*

TRAER

Verbo irregular.

INDICATIVO

Presente: *traigo, traes, trae, traemos, traéis, traen.*
Pretérito perfecto: *traje, trajiste, trajo, trajimos, trajisteis, trajeron.*

SUBJUNTIVO

Presente: *traiga, traigas, traiga, traigamos, traigáis, traigan.*
Pretérito imperfecto: *trajera, trajeras, trajera, trajéramos, trajerais, trajeran* (o *trajese, trajeses,* etc.).
Futuro: *trajere, trajeres, trajere, trajéremos, trajereis, trajeren.*

IMPERATIVO

trae, traiga, traed, traigan.

FORMAS NO PERSONALES

Gerundio: *trayendo.*

TRANSITIVACIONES

Consiste en hacer **transitivos** verbos que son **intransitivos** y que, por tanto, no pueden llevar **complemento** directo. Los casos más frecuentes se dan en los verbos: *caer, callar, cesar, dimitir, emanar, explotar, incautar, morir, quedar, repercutir, surgir, urgir.*

También se da el caso contrario, verbos transitivos se convierten en intransitivos como: *entrenar, suspender,* etc.

U

UNDÉCIMO

Es el **ordinal** que corresponde al número *once*, es incorrecto decir **decimoprimero* por *undécimo*, o utilizar *onceavo*, que significa «una parte de las once en que se ha dividido un todo».

UNO

La apócope *un* se presenta en todos los **adjetivos numerales** cuando preceden a un **nombre** masculino o a uno femenino que empiece por *a* tónica: *Treinta y un hombres, ciento un kilos, veintiún armas;* delante de femeninos no se admite: **Veintiún pesetas/Veintiuna.*

Cuando precede a *mil* sólo se usa *un: Veintiún mil pesetas.*

URGIR

Verbo intransitivo no puede llevar **complemento** directo. Ejemplo: **Los sindicatos urgieron la devolución del proyecto.*
Véase TRANSITIVACIONES.

Usos incorrectos del verbo impersonal HABER

El **verbo** haber en su uso impersonal no lleva **sujeto,** eso quiere decir que ningún grupo nominal debe concordar con él en **número** y **persona.** Son incorrectas oraciones como: *Hubieron muchos jugadores/Hubo muchos jugadores. *Habían muchas personas/Había muchas personas. *Habrán quienes digan/Habrá quienes digan.*

Apéndice **II**
Los verbos irregulares

Los verbos irregulares son aquellos que en su conjugación se apartan de alguno de los tres modelos de la conjugación regular. Su irregularidad se manifiesta en alguno de los tres grupos de tiempos verbales:

1) **Grupo del presente:** Presente de indicativo, presente de subjuntivo y presente de imperativo.

2) **Grupo del pretérito:** Pretérito indefinido, pretérito imperfecto de subjuntivo, futuro imperfecto de subjuntivo y, a veces, gerundio.

3) **Grupo de futuro:** Futuro imperfecto del indicativo y potencial simple.

Teniendo en cuenta el tipo de irregularidad que presentan, se pueden agrupar en las siguientes clases:

1ª clase: Verbos que diptongan la última vocal del lexema cuando es tónica.

Esta diptongación afecta únicamente al grupo del presente: 1ª, 2ª y 3ª personas del singular y 3ª del plural de los presentes de indicativo y subjuntivo *y* 2ª persona del singular del imperativo.

VE

Imperativo del verbo *ir*, no debe decirse **ves*. Ejemplo: **Ves a la tienda. Ve a la tienda.*

VER

Verbo irregular.

INDICATIVO

Presente: *veo, ves, ve, vemos, veis, ven.*
Pretérito imperfecto: *veía, veías, veía, veíamos, veíais, veían.*

SUBJUNTIVO

Presente: *vea, veas, vea, veamos, veáis, vean.*

IMPERATIVO

ve, vea, ved, vean.

FORMAS NO PERSONALES

Participio: *visto.*

VEINTI-

En la pronunciación de los **numerales** que comienzan por *veinti-* es errónea la pronunciación **venti-*. Ejemplo: **Ventidós/Veintidós.*

VENIR

Verbo irregular.

INDICATIVO

Presente: *vengo, vienes, viene, venimos, venís, vienen.*
Pretérito perfecto: *vine, viniste, vino, vinimos, vinisteis, vinieron.*
Futuro: *vendré, vendrás, vendrá, vendremos, vendréis, vendrán.*
Potencial simple: *vendría, vendrías, vendría, vendríamos, vendríais, vendrían.*

SUBJUNTIVO

Presente: *venga, vengas, venga, vengamos, vengáis, vengan.*
Pretérito imperfecto: *viniera, vinieras, viniera, viniéramos, vinierais, vinieran* (o *viniese, vinieses*, etc.).
Futuro: *viniere, vinieres, viniere, viniéremos, viniereis, vinieren.*

FORMAS NO PERSONALES

Gerundio: *viniendo.*

VERGONZANTE, VERGONZOSO

No deben confundirse *vergonzante*, que significa «que tiene vergüenza», con *vergonzoso* que significa «que causa vergüenza» y «que se avergüenza con facilidad». Ejemplo: **Un asunto vergonzante/Un asunto vergonzoso.*

VESTIR

Verbo irregular-.

INDICATIVO

Presente: *visto, vistes, viste, vestimos, vestís, visten.*
Pretérito perfecto: *vestí, vestiste, vistió, vestimos, vestisteis, vistieron.*

SUBJUNTIVO

Presente: *vista, vistas, vista, vistamos, vistáis, vistan.*
Pretérito imperfecto: *vistiera, vistieras, vistiera, vistiéramos, vistierais, vistieran* (o *vistiese, vistieses,* etc.).
Futuro: *vistiere, vistieres, vistiere, vistiéremos, vistiereis, vistieren.*

VOLVER

Verbo irregular. Se conjuga igual que *mover,* excepto el **participio**.

FORMAS NO PERSONALES

Participio:

vuelto.

Y

YACER

Verbo irregular.

INDICATIVO

Presente: yazco (o *yazgo, yago*), *yaces, yace, yacemos, yacéis, yacen.*

SUBJUNTIVO

Presente: *yazca, yazcas, yazca, yazcamos, yazcáis, yazcan (o yazga, yazgas,* etc.*, o yaga, yagas).*

IMPERATIVO

yace (o yaz), yazca (o yazga, yaga), yaced, yazcan (o yazgan, yagan).

Apéndice I
El acento ortográfico

La mayoría de las palabras en español tienen una sílaba que se pronuncia con más intensidad que las demás, sobre ella recae el acento.

Según la situación de la sílaba sobre la que recae este acento, las palabras pueden ser:

Agudas: Cuando el acento recae en la última sílaba.

Graves o llanas: Cuando el acento recae en la penúltima sílaba.

Esdrújulas: Cuando el acento recae en la antepenúltima sílaba.

Sobresdrújulas: Cuando el acento recae en la sílaba anterior a la antepenúltima.

Llevan tilde o acento ortográfico:

— Las palabras agudas, cuando acaban en vocal, en *-n* o *-s*: *café, camión, anís*. Se exceptúan las palabras que acaban en dos consonantes, aunque la última sea *n* o *s*: *Isern, Canals*, y las palabras que acaban en *-oo*: *Feijoo, Campoo*.

— Las palabras graves, cuando acaban en consonante que no sea *-n* ni *-s*: *árbol, lápiz*. Se exceptúan las acabadas en dos consonantes cuando la última es *n* o *s*: *fórceps, bíceps*.

— Todas las palabras, sin excepción, que sean esdrújulas: *máximo, párvulo.*
Todas las palabras, sin excepción, que sean sobresdrújulas: *cuéntamelo, llévatelo.*

Observaciones generales:

Las mayúsculas se acentúan siguiendo la norma general: *África.*

Los monosílabos no se acentúan nunca: *vio, fe,* excepto algunas palabras para diferenciarlas de otras: *de,* preposición, y *dé,* verbo *dar.*

Acentuación de diptongos y triptongos:

Un diptongo está formado por dos vocales, una abierta o semiabierta y otra cerrada, que se pronuncian en la misma sílaba. En esta sílaba se acentuará la vocal abierta o semiabierta siguiendo las normas generales: *camión, ciempiés.*

La combinación *ui* se considera diptongo en todos los casos, y, cuando sea necesario acentuarlo, se pondrá el acento en la segunda de las débiles: *benjuí, casuística.*

Los triptongos están formados por tres vocales, dos cerradas situadas delante o detrás de una vocal abierta o semiabierta, que se pronuncian en la misma sílaba. En esta sílaba se acentuará la vocal abierta o semiabierta siguiendo las normas generales: *averiguáis, cambiéis.*

Las palabras agudas terminadas en *-oy, -ay, -ey* y en *-uay, -uey, -iey* no se acentúan: *convoy, virrey, caray, Uruguay.*

Hiatos:

El hiato consiste en el encuentro de dos vocales que no forman diptongo y que se pronuncian cada una en una sílaba diferente. Se acentuarán siguiendo las normas generales: *con-tem-po-rá-ne-o, re-cre-o.*

Cuando se encuentran una vocal abierta o semiabierta con

una vocal cerrada, siempre se acentuará ésta para indicar que no existe diptongo: *María, oído.*

Cuando existe una *h* intercalada, y como no se pronuncia, también debe aplicarse esta norma: *búho, prohíben.*

Cuando se encuentran dos vocales cerradas, no se acentuará ninguna: *huido, destruir.*

Acentuación de las palabras compuestas:

Cuando dos palabras están fundidas entre sí la primera pierde el acento: *baloncesto,* en cambio la segunda lo conserva: *decimoséptimo.*

Cuando la unión es accidental y se escriben separadas por un guión, cada una conserva su acento independiente: *físico-químico.*

Los adverbios terminados en *-mente* conservan el acento del adjetivo a partir del cual están formados: *cortésmente, generalmente.*

Los verbos que llevan pronombres enclíticos conservan el acento que tenían antes: *llevóme, comíala.* Cuando al añadirle los pronombres la palabra se transforma en esdrújula o sobreesdrújula, se acentúa siguiendo la norma general: *llevábame, quítaselo.*

Acentuación diacrítica:

Se llama acento diacrítico a aquel que sirve para diferenciar palabras distintas que tienen igual forma.

Llevan acento diacrítico:

Él, pronombre personal: *Él estudia/el,* artículo: *El niño.*

Tú, pronombre personal: *Tú vienes/tu,* adjetivo posesivo: *Tu casa.*

Mí, pronombre personal: *Para mí/mi,* adjetivo posesivo: *Mi cartera/mi,* nota musical: *No suena bien el mi.*

Sí, adverbio de afirmación: *Sí quiero/si*, pronombre personal: *Para sí/si*, conjunción: *Si vienes, te veremos.*

Más, adverbio: *Quiero más café/mas*, conjunción: *Llama, mas no estará.*

Dé, verbo: *Dé una solución/de*, preposición: *Casa de muñecas.*

Té, nombre: *Quiere un té/te*, pronombre: *No te vi.*

Sé, verbo: *No lo sé. Sé bueno/se*, pronombre: *Se marchó.*

Sólo, adverbio/*solo*, adjetivo. Debe llevar acento solo cuando es posible confundirla. *Estoy sólo por las tardes. Estoy solo por las tardes.*

Éste, ése, aquél, pronombres demostrativos: *Éste es mejor/este, ese, aquel*, adjetivos demostrativos: *Este niño.* No llevan tilde cuando no hay confusión en su empleo, ni cuando preceden al relativo: *Aquel que vimos.*

Además van acentuados:

Que, quien, cual, cuyo, cuanto, cuan, cuando, como, donde en frases interrogativas y exclamativas: *¿Qué quiere?, ¿quién va?, ¿cuál le gusta?, ¡cuánto dinero!, ¡cómo!, ¿dónde está?*

Que, cuyo, cuando, como, porque, usados como nombres: *Sin qué vivir, para qué trabajar, el cómo y el cuándo, el porqué del asunto.*

Quien, cual, cuanto, cuando tienen sentido distributivo: *Quién más, quién menos.*

Aún cuando sustituye a *todavía: No ha llegado aún.*

La conjunción *o* cuando se sitúa entre dos cifras para diferenciarla del número *cero: 1 ó 2.*

V

VALER

Verbo irregular.

INDICATIVO

Presente: *valgo, vales, vale, valemos, valéis, valen.*
Futuro: *valdré, valdrás, valdrá, valdremos, valdréis, valdrán.*
Potencial simple: *valdría, valdrías, valdría, valdríamos, valdríais, valdrían.*

SUBJUNTIVO

Presente: *valga, valgas, valga, valgamos, valgáis, valgan.*

IMPERATIVO

vale, valga, valed, valgan.

1. Verbos que diptongan **é>ié**:

a) Son de la primera conjugación:

acertar, desacertar, adestrar, alebrarse, alentar, desalentar, apacentar, apernar, despernar, entrepernar, apretar, desapretar, reapretar arrendar, desarrendar, subarrendar, aterrar, desterrar, enterrar desenterrar, soterrar, atravesar, calentar, recalentar, cegar, cerrar, encerrar, desencerrar; cimentar, comenzar, concertar, desconcertar, confesar, dentar, endentar, desdentar, derrengar, deslendrar, desmembrar, despertar, despezar, emparentar, empedrar, desempedrar, empezar, encomendar, recomendar, enhestar, enmendar, remendar, enlenzar, ensangrentar, errar, estregar, restregar, fregar, refregar, tra(n)sfregar, gobernar, desgobernar, helar, deshelar, herbar, desherbar, herrar, desherrar, reherrar, incensar, infernar, invernar, desinvernar, manifestar, melar, amelar, desmelar, enmelar, mentar, merendar, negar, abnegar, denegar, desnegar, renegar, derrenegar, nevar, desnevar, pensar, repensar, plegar, desplegar, replegar, quebrar, aliquebrar, perniquebrar, requebrar, recentar, regar, sorregar, regimentar, retentar, reventar, salpimentar, sarmentar, segar, resegar, sembrar, resembrar, sobresembrar, sentar, asentar, desasentar, serrar, aserrar, sosegar, desasosegar, templar, destemplar, tentar, atentar, desatentar, destentar, trasegar, tropezar, ventar, aventar, desventar, reaventar, temblar, retemblar.

b) Son de la segunda conjugación:

ascender, descender, tra(n)scender, condescender, cerner, defender, encender, heder, hender, perder, tender, atender, contender, distender, entender, extender, subtender, coextender, desatender, desentender, sobr(e)entender, subentender, verter, reverter, sobreverterse, transverter. Experimentan diptongación asociada a otras irregularidades: *querer, tener* y sus compuestos.

c) Son de la tercera conjugación:

cernir, discernir, concernir y *hendir.* Diptongan y presentan otras irregularidades: *venir* y sus compuestos.

2. Verbos que diptongan **o>ué**.

a) Son de la primera conjugación:

abuñolar, acordar, concordar, desacordar, discordar, acordarse, acornar, descornar, mancornar, acostar, recostar, almorzar, amoblar, amolar, apostar, asolar, avergonzar, agolar, clocar, aclocar, enclocar, colar, escolar, recolar, tracolar, colgar, descolgar, consolar, desconsolar, desolar, contar, descontar, recontar, costar, degollar, denostar, derrocar, descollar, descordar, encordar, desencordar, desflocar, desmajolar, desollar, desosar, dolar, emporcar, encontrar, encorar, encorvar, engorar, engrosar, desengrosar, entortar, follar, afollar, forzar, esforzar, reforzar, holgar, hollar, rehollar, mostrar, demostrar, poblar, despoblar, repoblar, probar, aprobar, comprobar, desaprobar, improbar, reprobar, recordar, regoldar, renovar, resollar, rodar, rogar, solar, sobresolar, soldar, desoldar, soltar, sonar, asonar, consonar, disonar, malsonar, resonar, soñar, ensoñar, trasoñar, tostar, retostar, trascordarse, trocar, destrocar, trastrocar y trastocar, tronar, atronar, retronar, volar, revolar, trasvolar, volcar y revolcar.

b) Son de la segunda conjugación:

absolver, disolver, resolver, cocer, escocer, recocer, doler, condoler, llover, moler, demoler, morder, remorder, mover, conmover, promover, remover, soler, torcer, retorcer, volver, devolver, envolver, revolver, desenvolver.

El verbo *poder* diptonga también, y además presenta otras irregularidades en los grupos del pretérito, futuro y en el gerundio.

3. La diptongación **i>ié** la presentan los verbos *adquirir* e *inquirir*.

4. La diptongación **u>ué** solo se presenta en el verbo *jugar*.

2ª clase. Verbos que cambian el timbre de la última vocal del lexema.

Afecta a los grupos del presente (1ª, 2ª y 3ª personas del singular y 3ª del plural del presente de indicativo, todas las personas del presente de subjuntivo y 2ª persona del singular del imperativo) y del pretérito (3ª persona singular y 3ª persona del plural del indefinido, y todas las personas del imperfecto y futuro de subjuntivo) y al gerundio.

1. Presentan el cambio vocálico **e>í** los verbos terminados en:

-ebir: concebir; -edir: medir, desmedirse, comedirse, remedir, pedir, despedir, impedir, expedir, reexpedir; -egir: elegir, reelegir, colegir, regir, corregir; -eguir: seguir, conseguir, perseguir, proseguir, subseguir;- emir: gemir; -enchir: henchir; -endir: rendir.
-eñir: ceñir, descenir, receñir, constreñir, estreñir.

-eír: desleír, engreírse; freír, refreír, sofreír; reír, sonreír y *sotorreír* pierden una *-i-* detrás de la *ñ* y la *i*, respectivamente, en las formas irregulares del grupo de pretérito y en el gerundio (*ciñó<*ciñió*). Las formas *riyó, riyeron, riyera, riyese...* y *riyendo* se usaron en la lengua clásica y aún están bastante extendidas en América.

2. El verbo *podrirse*, único representante del cambio **o>ú**, se conjuga también como regular, *pudrirse;* la Real Academia aconseja la conjugación regular, "exceptuando tan solo el infinitivo, que puede ser indistintamente *podrir* o *pudrir,* y el participio pasivo *(podrido),* que nunca o rara vez se usa con *u".*

3ª clase. Verbos que unas veces diptongan, cuando es tónica, la última vocal del lexema, y, en otras, cambian el timbre en esa misma vocal.

La diptongación afecta únicamente a formas del grupo del presente (lª, 2ª y 3ª personas de singular y 3ª persona del plural de los presentes de indicativo y subjuntivo, y 2ª persona del imperativo); el cambio de timbre afecta, además de al gerundio, a formas del grupo de presente (lª y 2ª personas del plural del presente de subjuntivo) y del grupo del pretérito (3ª persona del singular y plural del indefinido y todas las personas del imperfecto y del futuro de subjuntivo).

1. Presentan la diptongación **e>ié** con la inflexión **e>i** los verbos terminados en:

-entir: arrepentirse; mentir, desmentir; sentir, asentir, consentir, disentir, presentir, resentir, desconsentir;- erir: adherir, conferir, diferir, inferir, proferir, referir, tra(n)sferir; digerir, ingerir, sugerir, herir, malherir, zaherir; requerir, injerir.

-ertir: advertir, controvertir, divertir, invertir, pervertir, revertir, subvertir, desadvertir, más los verbos hervir, rehervir y erguir (este último con doble forma para ciertas personas: *yergo, irgo; yerges, irgues,* etc.).

2. Presentan la diptongación **o>ue** con la inflexión **o>u** los verbos terminados en:

-orir: morir, entremorir y premorir.
-ormir: dormir y adormir.

4ª clase. Verbos que alteran, delante de las vocales *o* y *a*, la consonante final del lexema. El cambio consonántico afecta solo al presente (1ª persona singular del presente de indicativo y todas las personas del presente de subjuntivo).

1. Experimentan el cambio consonántico **c>g** los verbos *hacer* y sus compuestos (*contrahacer, rehacer* y *satisfacer*), *yacer* y *decir* y sus compuestos (*contradecir, desdecir, bendecir, maldecir*). El grupo de *decir* presenta, además, cambio vocálico **e>i** en la 1ª, 2ª y 3ª personas del singular y 3ª del plural del presente de indicativo y en todas las personas del presente de subjuntivo. El verbo *yacer* presenta formas dobles.

2. Solo el verbo *haber* presenta el cambio consonántico **b>y** y tan solo en el presente de subjuntivo. El presente de indicativo presenta otras irregularidades. Las formas *habemos* y *heis* son arcaismos, usados aún en el habla vulgar de América.

3. Todos los verbos de esta clase presentan futuros irregulares (menos *yacer: yaceré, yacería,* etc.; y *bendecir* y *maldecir: bendeciré, bendeciría,* etc., y *maldeciré, maldeciría,* etc.).

4. Todos los verbos de esta clase (menos *yacer, yací, yació,* etc.) presentan pretéritos irregulares.

5ª clase. Verbos que, delante de *o* y *a*, añaden una consonante al final del lexema.

La adición consonántica afecta únicamente a formas del grupo de presente (la persona singular del presente de indicativo y todas las personas del presente de subjuntivo).

1. Añaden al lexema el fonema /k/:

nacer y *renacer, pacer, repacer; placer, complacer, aplacer, desplacer, displacer; conocer, reconocer, preconocer; lucir, deslucir enlucir, entralucir, relucir, traslucir.*

Los terminados en *-ducir: aducir, conducir, deducir, inducir, introducir, producir, reducir, seducir, traducir.*

Todos los cerca de doscientos verbos que *terminan en -ecer.* Los verbos en *-ducir* presentan irregularidad en las formas del grupo de pretérito *(traduje, tradujo, tradujera, tradujese, tradujere,* etcétera).

El grupo de los verbos cuyo infinitivo termina en *-ecer* constituye el mayor conjunto de verbos irregulares en español. Ejemplos: *aborrecer, apetecer, crecer, establecer,* etc.

2. Solo el verbo *yacer (incluido* en la 4ª clase y que presenta también formas con /k/: *yazco, yazca...)* añade además una *g* detrás de /o/ (zeta).

3. *Asir* es el único verbo que añade *g* detrás de *s.*

4. Añaden en el lexema *g* detrás de *n* los verbos *poner* y sus compuestos *(anteponer, componer, descomponer, disponer, imponer, exponer, repone, yuxtaponer,* etc.), *tener* y sus compuestos *(contener,*

detener, entretener, obtener, etc.) y *venir* y *sus* compuestos *(convenir, intervenir, prevenir, reconvenir,* etc.). Todos estos verbos tienen irregulares los grupos de pretérito y futuro; *puse, pondré, pondría, tuve, tendré, tendría, vine, vendré, vendría,* etcétera.

Tener y *venir,* con sus respectivos compuestos, presentan también diptongación **e>ié** (2ª y 3ª personas de singular y 3ª del plural del presente de indicativo).

5. La adición de *g* detrás de *l* aparece solo en los verbos *valer, equivaler* y *prevaler* y *salir, resalir* y *sobresalir.* Son irregulares también en el grupo de futuro: *valdré, valdría, saldré, saldría,* etcétera.

6. Añaden el grupo fonético *ig* los verbos *caer* (y sus compuestos *decaer* y *recaer), traer* (con sus compuestos *abstraer, atraer, detraer, distraer, extraer, retraer, retrotraer, su(b)straer,* y *oír* con *desoír, entreoír* y *trasoír.*

7. Añádese la *y* a las 1ª, 2ª y 3ª personas del singular y 3ª del plural del presente de indicativo, a todas las personas del presente de subjuntivo y a la 2ª persona del singular del imperativo. Esta irregularidad se extiende a los siguientes verbos, todos terminados en *-uir: argüir, redargüir, circuir, concluir, excluir, incluir, recluir, constituir, destituir, estatuir, instituir, prostituir, restituir, sustituir, construir, destruir, instruir, obstruir, reconstruir, derruir, irruir, diluir, disminuir, fluir, afluir, confluir, difluir, influir, refluir, fruir, gruir, huir, rehuir, imbuir, inmiscuir, intuir, atribuir, contribuir, distribuir, retribuir.*

8. El verbo *oír* (y lo mismo sus compuestos) presentan también adición de *y* en la 2ª y 3ª persona del singular y 3ª del plural del presente de indicativo y 2ª persona del singular del imperativo.

9. El verbo *roer* presenta múltiples formas en su conjugación: *roo, roigo, royo; roa, roiga, roya; roas, roigas, royas,* etc. Su compuesto *corroer* es verbo regular.

6ª clase. Verbos que tienen una doble alteración, consistente en cambio de timbre de la vocal y ensordecimiento de la consonante final.
La doble alteración afecta a la 1ª persona del singular del presente de indicativo y a todas las del presente de subjuntivo.

1.   Presentan esta irregularidad únicamente los verbos *caer* y *saber*. Este último solo en subjuntivo: la 1ª persona singular del presente de indicativo *sé*. Ambos verbos son irregulares en los grupos de pretérito y futuro (*cupe, cupo, cupiera,* etc., *cabré, cabría, supe, supo, supiera, sabré, sabría*).

2.   El verbo *placer* (de la 5ª clase), ademas de la forma *plazca,* presenta en la tercera persona singular del presente de subjuntivo las formas *plega* y *plegue* con una doble alteración: **/a/>eg**.

IRREGULARIDADES VERBALES QUE AFECTAN AL LEXEMA

Los verbos *haber, dar, estar, ser* e *ir,* todos de uso muy frecuente, presentan diversas irregularidades que afectan tambien al lexema.
Los verbos *ir* y *ser* tienen ademas en común la característica de presentar más de un lexema: *soy, eres, es, sea, seas, siendo, fui, fuiste, fue...; voy, vas, va, vaya, vayas; iba, ibas, iría irías, yendo.*
El verbo *ver* presenta formas contractas: *ver, viendo, ve, ved, veo, ves, ve, vemos, veis, ven.* El verbo *proveer,* en cambio se conjuga como leer. Incluso, al lado del participio irregular *provisto,* presenta un participio regular *proveído.*
Obsérvese en la conjugación de *leer: leyendo, leyó, leyeron* y lo mismo *leyera, leyeras, leyese, leyere,* etcétera.

IRREGULARIDADES DEL PRETÉRITO

Los perfectos fuertes forman un conjunto homogéneo y

poco numeroso de pretéritos irregulares. Se conjugan como *vine, vino,* los siguientes: *hice, hizo; quise quiso; vine, vino; anduve, anduvo; hube, hubo; plugo; pude, pudo; puse, puso; repuse, repuso; supe, supo;* y *tuve, tuvo;* y se conjugan como *dije, dijo* los siguientes: *conduje, condujo; introduje, introdujo; produje, produjo; traduje, tradujo; traje, trajo;* y *dije, dijo.*

Indefinido: *vine, viniste, vino, vinimos, vinisteis, vinieron; dije, dijiste, dijo, dijimos, dijisteis, dijeron.*

Imperfecto de subjuntivo: *viniera, vinieras, viniera, viniéramos, vinierais, vinieran (viniese, vinieses, viniese,* etc.*), dijera, dijeras, dijera, dijéramos, dijerais, dijeran, (dijese, dijeses, dijese,* etc.*).*

Futuro imperfecto de subjuntivo: *viniere, vinieres, viniere,* etcétera, *dijere, dijeres, dijere,* etc.*)*

IRREGULARIDADES DEL FUTURO

Las irregularidades que aparecen en el futuro de indicativo y en el potencial simple afectan a un corto número de verbos. Son:

1. Síncopa de la vocal final del infinitivo base de la formación del futuro: *caber, cabré, cabría; haber, habré, habría; poder, podré, podría; querer, querré, querría; saber, sabré, sabría.*

2. Síncopa, en el infinitivo base, de vocal y consonante a la vez: *hacer, haré, haría; decir, diré, diría.*

3. Síncopa de la vocal final del infinitivo base e intercalación en su lugar de una *d* epentética: *poner, pondré, pondría; tener, tendré, tendría; valer, valdré, valdría; salir, saldré, saldría; venir, vendré, vendría.*

GERUNDIOS IRREGULARES

Presentan irregularidad en el gerundio los verbos de la 2ª clase: *ciñendo, pidiendo, riendo, pudriendo,* y de la 3ª clase: *sin-*

tiendo, irguiendo, durmiendo. Son irregulares también los gerundios de los verbos *poder, pudiendo,* de la 1ª clase; *decir, diciendo,* de la 4ª clase, y *venir, viniendo,* de la 5ª clase.

PARTICIPIOS IRREGULARES

Los verbos españoles presentan un participio regular en -*do*, solo una minoría presentan unos participios irregulares en -*to*, -*cho*, -*so*. Los verbos con participio irregular son: *decir, dicho; hacer, hecho; abrir, abierto; absolver, absuelto; resolver, resuelto; cubrir, cubierto; morir, muerto; poner, puesto; romper, roto; ver, visto;* y *volver, vuelto.*

Hay verbos que presentan dos participios, uno regular, que suele emplearse en los usos propios del participio, y otro irregular, usado generalmente en función adjetival. Son: *prender, prendido* y *preso; freír, freído* y *frito; abstraer, abstraído* y *abstracto; concluir, concluido* y *concluso; elegir, elegido* y *electo; incurrir, incurrido, incurso, bendecir, bendecido* y *bendito* y *maldecir, maldecido* y *maldito.*